edition suhrkamp

D1539393

Peter Weiss, geboren am 8. November 1916 in Nowawes bei Berlin, starb am 10. Mai 1982 in Stockholm. 1987 erhielt er posthum den Georg-Büchner-Preis.

Zwischen Dezember 1963 und August 1965 fand in Frankfurt am Main der Auschwitz-Prozeß statt, in dem die für das Funktionieren der Vernichtungsmaschinerie Verantwortlichen vor Gericht standen. Peter Weiss hat in seinem 1965 gleichzeitig an 15 Orten uraufgeführten dokumentarischen Theaterstück die Fakten über diese Hölle auf Erden, die im Prozeß zur Sprache kamen, in Gesängen gestaltet: Gesang von der Rampe, Gesang vom Lager, Gesang vom Bunkerblock. In ihnen wurden Täter und Opfer miteinander konfrontiert, und auf diese Weise wird, gerade durch den Verzicht der Rekonstruktion individueller Erlebnisse und die Betonung der funktionalen Aspekte, das Grauen dieser Tötungsfabrik deutlich. Zugleich wird die Möglichkeit gezeigt, daß sich ähnliches wiederholen könnte, und die Notwendigkeit, dies zu verhindern.

Peter Weiss
Die Ermittlung

*Oratorium in 11 Gesängen*

Mit Beiträgen von Walter Jens
und Ernst Schumacher

Suhrkamp Verlag

edition suhrkamp 616
Erste Auflage 1991
© Suhrkamp Verlag, Frankfurt am Main 1965. Printed in Germany. Alle Rechte vorbe-
halten, insbesondere das der Aufführung durch Berufs- und Laienbühnen, des öffentli-
chen Vortrags, der Verfilmung und Übertragung durch Rundfunk und Fernsehen, der
Übersetzung, auch einzelner Abschnitte. Das Recht der Aufführung oder Sendung ist
nur vom Suhrkamp Verlag in Frankfurt am Main zu erwerben. Den Bühnen und Verei-
nen gegenüber als Manuskript gedruckt.
Druck: Ebner Ulm
Gesamtausstattung Willy Fleckhaus

7 8 – 97

# Inhalt

# Die Ermittlung

*Oratorium in 11 Gesängen*

*Personen*

Richter

Vertreter der Anklage
*stellt Staatsanwalt und Nebenkläger dar*

Vertreter der Verteidigung

Angeklagte 1–18
*stellen authentische Personen dar*

Zeugen 1–9
*stellen abwechselnd die verschiedensten
anonymen Zeugen dar*

## Anmerkung

Bei der Aufführung dieses Dramas soll nicht der Versuch unternommen werden, den Gerichtshof, vor dem die Verhandlungen über das Lager geführt wurden, zu rekonstruieren. Eine solche Rekonstruktion erscheint dem Schreiber des Dramas ebenso unmöglich, wie es die Darstellung des Lagers auf der Bühne wäre.

Hunderte von Zeugen traten vor dem Gericht auf. Die Gegenüberstellung von Zeugen und Angeklagten, sowie die Reden und Gegenreden, waren von emotionalen Kräften überladen.

Von all dem kann auf der Bühne nur ein Konzentrat der Aussage übrig bleiben.

Dieses Konzentrat soll nichts anderes enthalten als Fakten, wie sie bei der Gerichtsverhandlung zur Sprache kamen. Die persönlichen Erlebnisse und Konfrontationen müssen einer Anonymität weichen. Indem die Zeugen im Drama ihre Namen verlieren, werden sie zu bloßen Sprachrohren. Die 9 Zeugen referieren nur, was hunderte ausdrückten.

Die Verschiedenheiten in den Erfahrungen können höchstens angedeutet werden in einer Veränderung der Stimme und Haltung.

Zeuge 1 und 2 sind Zeugen, die auf seiten der Lagerverwaltung standen.

Zeuge 4 und 5 sind weibliche, die übrigen männliche Zeugen aus den Reihen der überlebenden Häftlinge.

Die 18 Angeklagten dagegen stellen jeder eine bestimmte Figur dar. Sie tragen Namen, die aus dem wirklichen Prozeß übernommen sind. Daß sie ihre eigenen Namen haben ist bedeutungsvoll, da sie ja auch während der Zeit, die zur Verhandlung steht, ihre Namen trugen, während die Häftlinge ihre Namen verloren hatten.

Doch sollen im Drama die Träger dieser Namen nicht noch einmal angeklagt werden. Sie leihen dem Schreiber des Dramas nur ihre Namen, die hier als Symbole stehen für ein System, das viele andere schuldig werden ließ, die vor diesem Gericht nie erschienen.

Bei Bühnenaufführungen kann eine Pause nach dem 6. Gesang eingelegt werden.

# 1 Gesang von der Rampe

## I

RICHTER   Herr Zeuge
Sie waren Vorstand des Bahnhofs
in dem die Transporte einliefen
Wie weit war der Bahnhof vom Lager entfernt

ZEUGE 1   2 Kilometer vom alten Kasernenlager
und etwa 5 Kilometer vom Hauptlager

RICHTER   Hatten Sie in den Lagern zu tun

ZEUGE 1   Nein
Ich hatte nur dafür zu sorgen
daß die Betriebsstrecken in Ordnung waren
und daß die Züge fahrplanmäßig
ein- und ausliefen

RICHTER   In welchem Zustand waren die Strecken

ZEUGE 1   Es war eine ausgesprochen gut
ausgestattete Rollbahn

RICHTER   Wurden die Fahrplananordnungen
von Ihnen ausgearbeitet

ZEUGE 1   Nein
Ich hatte nur fahrplantechnische Maßnahmen
im Zusammenhang mit dem Pendelverkehr
zwischen Bahnhof und Lager durchzuführen

RICHTER   Dem Gericht liegen Fahrplananordnungen vor
die von Ihnen unterzeichnet sind

ZEUGE 1   Ich habe das vielleicht einmal
vertretungsweise unterschreiben müssen

RICHTER   War Ihnen der Zweck der Transporte bekannt

ZEUGE 1   Ich war nicht in die Materie eingeweiht

RICHTER   Sie wußten
daß die Züge mit Menschen beladen waren

ZEUGE 1   Wir erfuhren nur
daß es sich um Umsiedlertransporte handelte
die unter dem Schutz des Reichs standen

RICHTER   Über die vom Lager regelmäßig
zurückkehrenden Leerzüge
haben Sie sich keine Gedanken gemacht

ZEUGE 1    Die beförderten Menschen
           waren dort angesiedelt worden

ANKLÄGER   Herr Zeuge
           Sie haben heute eine leitende Stellung
           in der Direktion der Bundesbahn
           Demnach ist anzunehmen
           daß Sie vertraut sind mit Fragen
           der Ausstattung und Belastung von Zügen
           Wie waren die bei Ihnen ankommenden Züge
           ausgestattet und belastet

ZEUGE 1    Es handelte sich um Güterzüge
           Laut Frachtbrief wurden per Waggon
           etwa 60 Personen befördert

ANKLÄGER   Waren es Güterwagen
           oder Viehwagen

ZEUGE 1    Es waren auch Wagen
           wie sie zum Viehtransport benutzt wurden

ANKLÄGER   Gab es in den Waggons
           sanitäre Einrichtungen

ZEUGE 1    Das ist mir nicht bekannt

ANKLÄGER   Wie oft kamen diese Züge an

ZEUGE 1    Das kann ich nicht sagen

ANKLÄGER   Kamen sie häufig an

ZEUGE 1    Ja sicher
           Es war ein stark frequentierter Zielbahnhof

ANKLÄGER   Ist Ihnen nicht aufgefallen
           daß die Transporte
           aus fast allen Ländern Europas kamen

ZEUGE 1    Wir hatten soviel zu tun
           daß wir uns um solche Dinge
           nicht kümmern konnten

ANKLÄGER   Fragten Sie sich nicht
           was mit den umgesiedelten Menschen
           geschehen sollte

ZEUGE 1    Sie sollten zum Arbeitseinsatz
           geschickt werden

ANKLÄGER   Es waren aber doch nicht nur Arbeitsfähige
           sondern ganze Familien
           mit alten Leuten und Kindern

| | |
|---|---|
| ZEUGE 1 | Ich hatte keine Zeit |
| | mir den Inhalt der Züge anzusehn |
| ANKLÄGER | Wo wohnten Sie |
| ZEUGE 1 | In der Ortschaft |
| ANKLÄGER | Wer wohnte sonst dort |
| ZEUGE 1 | Die Ortschaft war von der einheimischen |
| | Bevölkerung geräumt worden |
| | Es wohnten dort Beamte des Lagers |
| | und Personal der umliegenden Industrien |
| ANKLÄGER | Was waren das für Industrien |
| ZEUGE 1 | Es waren Niederlassungen |
| | der IG Farben |
| | der Krupp- und Siemenswerke |
| ANKLÄGER | Sahen Sie Häftlinge |
| | die dort zu arbeiten hatten |
| ZEUGE 1 | Ich sah sie beim An- und Abmarschieren |
| ANKLÄGER | Wie war der Zustand der Gruppen |
| ZEUGE 1 | Sie gingen im Gleichschritt und sangen |
| ANKLÄGER | Erfuhren Sie nichts |
| | über die Verhältnisse im Lager |
| ZEUGE 1 | Es wurde ja soviel dummes Zeug geredet |
| | man wußte doch nie woran man war |
| ANKLÄGER | Hörten Sie nichts |
| | über die Vernichtung von Menschen |
| ZEUGE 1 | Wie sollte man sowas schon glauben |
| RICHTER | Herr Zeuge |
| | Sie waren für die Güterabfertigung |
| | verantwortlich |
| ZEUGE 2 | Ich hatte nichts anderes zu tun |
| | als die Züge dem Rangierpersonal zu übergeben |
| RICHTER | Was waren die Aufgaben des Rangierpersonals |
| ZEUGE 2 | Sie spannten eine Rangierlok vor |
| | und beförderten den Zug ins Lager |
| RICHTER | Wieviele Menschen befanden sich |
| | Ihrer Schätzung nach |
| | in einem Waggon |
| ZEUGE 2 | Darüber kann ich keine Auskunft geben |
| | Es war uns streng verboten |
| | die Züge zu kontrollieren |

| | |
|---|---|
| RICHTER | Wer hinderte Sie daran |
| ZEUGE 2 | Die Bewachungsmannschaften |
| RICHTER | Gab es Frachtbriefe für alle Transporte |
| ZEUGE 2 | In den meisten Fällen waren keine |
| | Begleitbriefe dabei |
| | Da stand nur die Zahl mit Kreide |
| | auf dem Waggon |
| RICHTER | Was standen da für Zahlen |
| ZEUGE 2 | 60 Stück oder 80 Stück |
| | je nachdem |
| RICHTER | Wann kamen die Züge an |
| ZEUGE 2 | Meistens nachts |
| ANKLÄGER | Welchen Eindruck erhielten Sie |
| | von diesen Frachten |
| ZEUGE 2 | Ich verstehe die Frage nicht |
| ANKLÄGER | Herr Zeuge |
| | Sie sind Oberinspektor der Bundesbahn |
| | und kennen sich in Reiseverhältnissen aus |
| | Wurden Sie durch Einblicke in Waggonluken |
| | oder durch Geräusche aus den Waggons |
| | auf die Zustände aufmerksam |
| ZEUGE 2 | Ich sah einmal eine Frau |
| | die ein kleines Kind an die Luftklappe hielt |
| | und fortgesetzt nach Wasser schrie |
| | Ich holte einen Krug Wasser |
| | und wollte ihn ihr reichen |
| | Als ich den Krug hochhob kam einer der Wachleute |
| | und sagte |
| | wenn ich nicht sofort weggehe |
| | würde ich erschossen |
| RICHTER | Herr Zeuge |
| | Wieviele Züge kamen Ihrer Berechnung nach |
| | auf dem Bahnhof an |
| ZEUGE 2 | Im Durchschnitt ein Zug pro Tag |
| | Bei Hochdruck verkehrten auch 2 bis 3 Züge |
| RICHTER | Wie groß waren die Züge |
| ZEUGE 2 | Sie hatten bis zu 60 Waggons |
| RICHTER | Herr Zeuge |
| | waren Sie im Lager |

ZEUGE 2 Ich fuhr einmal auf der Rangierlok mit
weil es etwas wegen der Frachtbriefe
zu besprechen gab
Gleich hinter dem Einfahrtstor stieg ich ab
und ging in das Lagerbüro
Da kam ich beinah nicht mehr raus
weil ich keinen Ausweis hatte
RICHTER Was sahen Sie vom Lager
ZEUGE 2 Nichts
Ich war froh daß ich wieder wegkam
RICHTER Sahen Sie die Schornsteine am Ende der Rampe
und den Rauch und den Feuerschein
ZEUGE 2 Ja
ich sah Rauch
RICHTER Was dachten Sie sich dabei
ZEUGE 2 Ich dachte mir
das sind die Bäckereien
Ich hatte gehört
da würde Tag und Nacht Brot gebacken
Es war ja ein großes Lager


II

ZEUGE 3 Wir fuhren 5 Tage lang
Am zweiten Tag
war unsere Wegzehrung verbraucht
Wir waren 89 Menschen im Waggon
Dazu unsere Koffer und Bündel
Unsere Notdurft verrichteten wir
in das Stroh
Wir hatten viele Kranke
und 8 Tote
Auf den Bahnhöfen konnten wir
durch die Luftlöcher sehn
wie die Bewachungsmannschaften
von weiblichem Personal
Essen und Kaffee erhielten
Unsere Kinder hatten zu jammern aufgehört
als wir in der letzten Nacht vom Bahndamm

15

auf ein Nebengleis abbogen
Wir fuhren durch eine flache Gegend
die von Scheinwerfern beleuchtet wurde
Dann näherten wir uns einem langgestreckten
scheunenähnlichen Gebäude
Da war ein Turm
und darunter ein gewölbtes Tor
Ehe wir durch das Tor einfuhren
pfiff die Lokomotive
Der Zug hielt
Die Waggontüren wurden aufgerissen
Häftlinge in gestreiften Anzügen erschienen
und schrien zu uns herein
Los raus schnell schnell
Es waren anderthalb Meter herab zum Boden
Da lag Schotter
Die Alten und Kranken fielen
in die scharfen Steine
Die Toten und das Gepäck wurden herausgeworfen
Dann hieß es
Alles liegen lassen
Frauen und Kinder rüber
Männer auf die andere Seite
Ich verlor meine Familie aus den Augen
Überall schrien die Menschen
nach ihren Angehörigen
Mit Stöcken wurde auf sie eingeschlagen
Hunde bellten
Von den Wachtürmen waren Scheinwerfer
und Maschinengewehre
auf uns gerichtet
Am Ende der Rampe war der Himmel
rot gefärbt
Die Luft war voll von Rauch
Der Rauch roch süßlich und versengt
Dies war der Rauch
der fortan blieb

ZEUGIN 4   Ich hörte meinen Mann noch
nach mir rufen

Wir wurden aufgestellt
und durften den Platz nicht mehr wechseln
Wir waren eine Gruppe
von 100 Frauen und Kindern
Wir standen zu fünft in einer Reihe
Dann mußten wir an ein paar Offizieren
vorbeigehn
Einer von ihnen hielt die Hand in Brusthöhe
und winkte mit dem Finger
nach links und nach rechts
Die Kinder und die alten Frauen
kamen nach links
ich kam nach rechts
Die linke Gruppe mußte über die Schienen
zu einem Weg gehen
Einen Augenblick lang sah ich meine Mutter
bei den Kindern
da war ich beruhigt und dachte
wir werden uns schon wiederfinden
Eine Frau neben mir sagte
Die kommen in ein Schonungslager
Sie zeigte auf die Lastwagen
die auf dem Weg standen
und auf ein Auto vom Roten Kreuz
Wir sahen
wie sie auf die Wagen geladen wurden
und wir waren froh daß sie fahren durften
Wir andern mußten zu Fuß weiter
auf den aufgeweichten Wegen

ZEUGIN 5    Ich hielt das Kind meiner Schwägerin an der Hand
Sie selbst trug ihr kleinstes Kind auf dem Arm
Da kam einer von den Häftlingen auf mich zu
und fragte ob das Kind mir gehöre
Als ich es verneinte sagte er
ich solle es der Mutter geben
Ich tat es und dachte
die Mutter hat vielleicht Vorteile
Sie gingen alle nach links
ich ging nach rechts

Der Offizier der uns einteilte
war sehr freundlich
Ich fragte ihn
wohin denn die andern gingen
und er antwortete
Die gehen jetzt nur baden
in einer Stunde werdet ihr euch wiedersehn

RICHTER Frau Zeugin
wissen Sie wer dieser Offizier war

ZEUGIN 5 Ich erfuhr später
daß er Dr. Capesius hieß

RICHTER Frau Zeugin
können Sie uns den Angeklagten
Dr. Capesius zeigen

ZEUGIN 5 Wenn ich mir die Gesichter ansehe
fällt es mir schwer zu sagen
ob ich sie wiedererkenne
Doch dieser Herr da
kommt mir bekannt vor

RICHTER Wie heißt er

ZEUGIN 5 Dr. Capesius

ANGEKLAGTER 3 Die Zeugin muß mich
mit einem anderen verwechseln
Ich habe nie auf der Rampe
ausgesondert

ZEUGE 6 Ich kannte Dr. Capesius
von meinem Heimatort her
Ich war dort Arzt
und er hatte mich vor dem Krieg mehrmals
als Vertreter des Bayer-Konzerns besucht
Ich begrüßte ihn und fragte
was mit uns geschehen sollte
Er sagte
Hier wird alles gut werden
Ich sagte ihm
daß meine Frau nicht gesund sei
Dann soll sie hier stehn
sagte er
Hier bekommt sie Pflege

Er zeigte auf die Gruppe
von alten Leuten und Kranken
Ich sagte zu meiner Frau
Du mußt dorthin gehn und dich hinstellen
Sie ging zusammen mit ihrer Nichte
und ein paar anderen Verwandten
zur Gruppe der Kranken
Sie fuhren alle auf Lastwagen ab

RICHTER   Besteht für Sie kein Zweifel
daß dies Dr. Capesius war

ZEUGE 6   Nein
Ich habe ja mit ihm gesprochen
Es war damals eine große Freude für mich
ihn wiederzusehn

RICHTER   Angeklagter Capesius
Kennen Sie diesen Zeugen

ANGEKLAGTER 3   Nein

RICHTER   Waren Sie bei ankommenden Transporten
auf der Rampe

ANGEKLAGTER 3   Ich war nur dort
um Medikamente aus dem Gepäck der Häftlinge
entgegenzunehmen
Diese hatte ich in der Apotheke zu verwahren

RICHTER   Herr Zeuge
Wen von den Angeklagten
sahen Sie noch auf der Rampe

ZEUGE 6   Diesen Angeklagten
Ich kann auch seinen Namen nennen
Er heißt Hofmann

RICHTER   Angeklagter Hofmann
Was hatten Sie auf der Rampe zu tun

ANGEKLAGTER 8   Ich hatte für Ruhe und Ordnung zu sorgen

RICHTER   Wie ging das vor sich

ANGEKLAGTER 8   Die Leute wurden aufgestellt
Dann bestimmten die Ärzte
wer arbeitsfähig war
und wer zur Arbeit nicht infrage kam
Mal waren mehr
mal weniger Arbeitsfähige

rauszuholen
Der Prozentsatz war bestimmt
Er richtete sich nach dem Bedarf
an Arbeitskräften

RICHTER Was geschah mit denen
die nicht zur Arbeit gebraucht wurden

ANGEKLAGTER 8 Die kamen ins Gas

RICHTER Wie groß war der Prozentsatz
der Arbeitsfähigen

ANGEKLAGTER 8 Im Durchschnitt ein Drittel
des Transportes
Bei Überbelegung des Lagers
hatten die Transporte
geschlossen abzugehn

RICHTER Haben Sie selbst
Aussonderungen vorgenommen

ANGEKLAGTER 8 Ich kann dazu nur sagen
daß ich manchmal Nichtarbeitsfähige
zu den Arbeitsfähigen rübergeschoben habe
wenn die darum gebeten und gebettelt haben

RICHTER Durften Sie das

ANGEKLAGTER 8 Nein
das war verboten
aber man hat eben beide Augen zugedrückt

RICHTER Wurde für den Rampendienst
Sonderverpflegung ausgegeben

ANGEKLAGTER 8 Ja
da gab es Brot
eine Portion Wurst
und einen Fünftel Liter Alkohol

RICHTER Hatten Sie bei der Ausübung Ihrer Arbeit
Gewalt anzuwenden

ANGEKLAGTER 8 Da war immer ein großes Durcheinander
und da hat es natürlich mal
eine Zurechtweisung
oder eine Ohrfeige gegeben
Ich habe nur meinen Dienst gemacht
Wo ich hingestellt werde
mache ich eben meinen Dienst

| | |
|---|---|
| RICHTER | Wie kamen Sie zu diesem Dienst |
| ANGEKLAGTER 8 | Durch Zufall |
| | Das war so |
| | Mein Bruder hatte noch eine Uniform übrig |
| | die konnte ich übernehmen |
| | Da hatte ich keine Unkosten |
| | Es war geschäftshalber |
| | Mein Vater hatte eine Gaststätte |
| | da verkehrten viele Parteigenossen |
| | Als ich abkommandiert wurde |
| | hatte ich keine Ahnung |
| | wohin ich kam |
| | Bei meiner Ankunft fragte ich |
| | Bin ich denn hier richtig |
| | Da hat man gesagt |
| | Hier bist du immer richtig |
| ANKLÄGER | Angeklagter Hofmann |
| | wußten Sie |
| | was mit den ausgesonderten Menschen |
| | geschehen sollte |
| ANGEKLAGTER 8 | Herr Staatsanwalt |
| | Ich persönlich hatte gar nichts |
| | gegen diese Leute |
| | Die gab es ja auch bei uns zuhause |
| | Ehe sie abgeholt wurden |
| | habe ich immer zu meiner Familie gesagt |
| | Kauft nur weiter bei dem Krämer |
| | das sind ja auch Menschen |
| ANKLÄGER | Hatten Sie diese Einstellung noch |
| | als Sie Dienst auf der Rampe taten |
| ANGEKLAGTER 8 | Also |
| | von kleinen Übeln abgesehen |
| | wie sie solch ein Leben von vielen |
| | auf engem Raum |
| | nun einmal mit sich bringt |
| | und abgesehen von den Vergasungen |
| | die natürlich furchtbar waren |
| | hatte durchaus jeder die Chance |
| | zu überleben |

Ich persönlich
habe mich immer anständig benommen
Was sollte ich denn machen
Befehle mußten ausgeführt werden
Und dafür habe ich jetzt
dieses Verfahren auf dem Hals
Herr Staatsanwalt
ich habe ruhig gelebt
wie alle andern auch
und da holt man mich plötzlich raus
und schreit nach Hofmann
Das ist der Hofmann
sagt man
Ich weiß überhaupt nicht
was man von mir will

ZEUGE 7 Als wir aufgestellt waren
kam einer der Wachleute und fragte
Hat jemand irgendwelche Beschwerden
Da traten einige vor
die glaubten
sie würden leichtere Arbeit finden
und sie kamen zu denen
die nach links gehen mußten
Als er sie abführte
kam es zu einer Unruhe
und er schoß in die Menschen hinein
Dabei wurden 5 oder 6 getötet

RICHTER Herr Zeuge
befindet sich der von dem Sie sprechen
in diesem Raum

ZEUGE 7 Herr Vorsitzender
es ist lange her
daß ich ihnen gegenüber stand
und es fällt mir schwer
ihnen in die Gesichter zu sehn
Dieser hier hat Ähnlichkeit mit ihm
er könnte es sein
Er heißt Bischof

RICHTER Sind Sie sicher

oder zweifeln Sie

ZEUGE 7 Herr Vorsitzender
ich war diese Nacht schlaflos

VERTEIDIGER Wir stellen die Glaubwürdigkeit des Zeugen
infrage
Es ist anzunehmen
daß er das Gesicht unseres Mandanten
nach einem der öffentlich verbreiteten Bilder
wiedererkennt
Die Übermüdung des Zeugen
kann keine Grundlage bilden
für beweiskräftige Aussagen

RICHTER Angeklagter Bischof
Wollen Sie zu der Beschuldigung
Stellung nehmen

ANGEKLAGTER 15 Das ist mir ein Rätsel
was der Herr Zeuge da sagt
Ich verstehe auch nicht
warum der Zeuge sagt
5 oder 6
Hätte er 5 gesagt
oder hätte er 6 gesagt
dann wäre es verständlich

RICHTER Hatten Sie Dienst auf der Rampe

ANGEKLAGTER 15 Ich hatte nur die Schübe zu ordnen
Geschossen habe ich nie
Herr Präsident
Es ist mein Bestreben
hier reinen Tisch zu machen
Das nagt schon seit Jahren an mir
Herzkrank bin ich davon geworden
Da sollen mir mit solchen Schweinereien
die letzten Tage meines Lebens
versaut werden

ANKLÄGER Was meint der Angeklagte
mit Schweinereien

RICHTER Der Angeklagte ist erregt
Er meint sicher nicht
das von der Staatsanwaltschaft

eingeleitete Strafverfahren
*Die Angeklagten lachen*

ZEUGE 8 Ich gehörte als Häftling
dem Aufräumungskommando an
Wir hatten das Gepäck der Angekommenen
wegzuschaffen
Der Angeklagte Baretzki
hat auf der Rampe
an Aussonderungen teilgenommen
und die Transporte
zu den Krematorien begleitet

RICHTER Herr Zeuge
Erkennen Sie den Angeklagten wieder

ZEUGE 8 Dies ist Blockführer Baretzki

ANGEKLAGTER 13 Ich gehörte nur
zu den Wachmannschaften
Daß ein Mannschaftsdienstgrad selektierte
das gab es gar nicht
Ein Blockführer konnte doch keine
arbeitsunfähigen Leute rausstellen
Das konnte nur ein Arzt

RICHTER War Ihnen der Zweck der Aussonderungen
bekannt

ANGEKLAGTER 13 Wir erfuhren das
Ich war empört darüber
Ich habe das meiner Mutter einmal
auf einem Urlaub berichtet
Die wollte das nicht glauben
Das ist nicht möglich
sagte sie
Menschen brennen doch nicht
weil Fleisch nicht brennen kann

ZEUGE 8 Ich sah
wie Baretzki mit seinem Stock
auf die Leute zeigte
Es konnte ihm nie schnell genug gehn
Immer trieb er zur Eile
Einmal kam ein Zug mit 3000 Menschen an
Die meisten waren Kranke

Baretzki schrie uns zu
Ihr habt 15 Minuten Zeit
sie aus den Waggons zu holen
Beim Abladen wurde ein Kind geboren
Ich wickelte es in Kleidungsstücke
und legte es neben die Mutter
Baretzki kam mit dem Stock auf mich zu
und schlug mich und die Frau
Was tust du mit dem Dreck da
rief er
und gab dem Kind einen Fußtritt
so daß es 10 Meter fortflog
Dann befahl er mir
Bring die Scheiße hierher
Da war das Kind tot

RICHTER    Herr Zeuge
Können Sie das beschwören

ZEUGE 8    Das kann ich beschwören
Baretzki hatte auch einen Spezialschlag
Er war bekannt dafür

RICHTER    Was war das für ein Spezialschlag

ZEUGE 8    Er wurde mit der flachen Hand ausgeführt
So
Gegen die Aorta
Dieser Schlag
führte in den meisten Fällen
zum Tod

ANGEKLAGTER 13    Der Zeuge sagte doch eben
ich hätte einen Stock gehabt
Wenn ich einen Stock hatte
dann brauchte ich doch nicht
mit der Hand zu schlagen
Und wenn ich mit der Hand schlug
brauchte ich doch keinen Stock
Herr Vorsitzender
das ist Verleumdung
Ich hatte überhaupt keinen Spezialschlag
*Die Angeklagten lachen*

RICHTER   Herr Zeuge
          wen haben Sie noch auf der Rampe gesehn
ZEUGE 8   Alle Ärzte waren auf der Rampe
          Die Aussonderungen
          gehörten zu ihrer Arbeit
          Dr. Frank war da
          Dr. Schatz und Dr. Lucas
VERTEIDIGER   Herr Zeuge
          Wo befanden Sie sich
          während der Aussonderungen
ZEUGE 8   An verschiedenen Stellen der Rampe
          beim Aufsammeln des Gepäcks
VERTEIDIGER   Können Sie uns das Aussehen
          der Rampe beschreiben
ZEUGE 8   Die Rampe lag hinter der Toreinfahrt
          Rechts von der Rampe befand sich
          das Männerlager
          links das Frauenlager
          Am Ende der Rampe lagen rechts und links
          die neuen Krematorien
          mit den Ziffern II und III
          Die Züge wurden von der Weiche aus
          zumeist auf das rechte Gleis gerollt
VERTEIDIGER   Wie lang war die Rampe
ZEUGE 8   Etwa 800 Meter lang
VERTEIDIGER   Wie lang waren die Züge
ZEUGE 8   Sie nahmen oft 2 Drittel
          der Länge ein
VERTEIDIGER   Wo wurden die Aussonderungen vorgenommen
ZEUGE 8   In der Mitte der Rampe
VERTEIDIGER   Wo standen die Menschen aufgestellt
ZEUGE 8   Sowohl auf dem oberen Abschnitt
          als auch auf dem unteren
VERTEIDIGER   Wie breit war die Rampe
ZEUGE 8   Etwa 10 Meter breit
VERTEIDIGER   Dort standen die Menschen
          in 2 Gruppen nebeneinander

Jede Gruppe in Reihen zu fünft
Wir bezweifeln daß es möglich war
sich bei diesem Gedränge
mit Packarbeiten in der Nähe
der selektierenden Offiziere
aufzuhalten

RICHTER Angeklagter Dr. Frank
haben Sie an den Aussonderungen teilgenommen

ANGEKLAGTER 4 Ich war lediglich als Ersatzmann
zum Rampendienst eingeteilt worden
Meine Aufgabe war
eintreffenden Zahnärzten
ihre Ausrüstung
für die Häftlingszahnstation abzunehmen
Die Zahnärzte und Zahntechniker hatte ich sodann
zu registrieren und einzukleiden
Wenn es vorkam daß einer antrat
der nur so gesagt hatte
er sei Dentist
dann ließ ich ihn nicht zurückschicken
Wir brauchten ja auch Leute
zum Putzen

RICHTER Haben Sie sich nie darum bemüht
vom Rampendienst entbunden zu werden

ANGEKLAGTER 4 Ich war deshalb beim Standortarzt Dr. Wirth
vorstellig
Ich bekam nur zur Antwort
Der Dienst im Lager ist Frontdienst
Jede Weigerung
wird als Fahnenflucht bestraft

RICHTER Haben Sie Transporte
zu den Gaskammern begleitet

ANGEKLAGTER 4 Nein
Die Begleitfunktionen
wurden von Wachmannschaften übernommen
Ich selbst habe alles getan
um den Häftlingen Hilfeleistungen
zukommen zu lassen
In meiner Station

machte ich ihnen den Aufenthalt
so angenehm wie möglich
Sie hatten maßgeschneiderte Anzüge
und brauchtes sich das Haar
nicht scheren zu lassen

RICHTER  Angeklagter Dr. Schatz
haben Sie an den Aussonderungen teilgenommen

ANGEKLAGTER 5  Ich hatte nie etwas damit zu tun
Wenn ich zur Entgegennahme von Medikamenten
oder ärztlichen Instrumenten
auf die Rampe befohlen wurde
versuchte ich nach Möglichkeit
mich zu drücken
Ich war überhaupt nur unter Zwang
ins Lager gekommen
Ich wurde von einer Heereszahnstation
abkommandiert
Ich möchte darauf hinweisen
daß ich ein ausgesprochen freundschaftliches
Verhältnis mit den Häftlingen
unterhielt

RICHTER  Angeklagter Dr. Lucas
Was hatten Sie auf der Rampe zu tun

ANGEKLAGTER 6  Ich war dort nicht im geringsten aktiv
Ich habe immer wieder gesagt
Ich bin Arzt um Menschenleben zu erhalten
nicht um Menschen zu vernichten
Auch mein katholischer Glaube ließe nichts anderes z
Als man mich zwingen wollte sagte ich
daß ich das körperlich nicht könne
Ich täuschte Krankheiten vor und versuchte
so schnell wie möglich
zur Truppenunterkunft zurückzukommen
Ich wandte mich an meinen alten Vorgesetzten
der antwortete mir
ich hätte alles zu tun
um nicht unangenehm aufzufallen
Auf einem Urlaub sprach ich sowohl
mit einem befreundeten Erzbischof als auch

mit einem hohen Juristen
Beide sagten mir
unmoralische Befehle dürften nicht befolgt werden
jedoch ginge dies nicht so weit
daß man dabei sein eigenes Leben
gefährden müsse
wir stünden im Krieg
und da käme eben manches vor

ANKLÄGER Herr Dr. Lucas
was für Krankheiten simulierten Sie denn
wenn Sie zur Aussonderung befohlen wurden

ANGEKLAGTER 6 Ich täuschte Gallenkolik vor
oder eine Magengeschichte

ANKLÄGER Hat man sich nicht gewundert
daß Sie Ihre Kolik
immer erst auf der Rampe bekamen

ANGEKLAGTER 6 Da gab es nie Schwierigkeiten
Mein passiver Widerstand
war die einzige Möglichkeit
mit den Dingen so wenig wie möglich
zu tun zu haben
Ich sehe auch heute noch nicht
wie ich es damals
hätte anders machen sollen

ANKLÄGER Und wenn Sie mit den Dingen zu tun hatten
was machten Sie da

ANGEKLAGTER 6 Nur in drei bis vier Fällen
halfen mir meine Weigerungen nichts
Ich erhielt den Befehl
auf die Rampe zu gehn
unter der Drohung
auf der Stelle abgeführt zu werden
wenn ich dem Befehl nicht nachkäme
Was das bedeutete
war unmißverständlich

ANKLÄGER Und da nahmen Sie an den Aussonderungen teil

ANGEKLAGTER 6 Ich hatte nur
arbeitsfähige Menschen auszusuchen
und ich habe so ausgesucht

daß auch viele Nichtarbeitsfähige
mit ins Lager kamen

ANKLÄGER Und die übrigen

ANGEKLAGTER 6 Die wurden von anderen
beiseite geführt

VERTEIDIGER Keinesfalls
kann es als strafbare Handlung
bezeichnet werden
wenn diensthabende Ärzte
Häftlinge für das Lager auswählten
da sie dadurch nur die Zahl der Opfer
um die Anzahl der als arbeitsfähig Befundenen
verringerten

ANKLÄGER Was geschah mit dem Gepäck der Eingetroffenen
nachdem die Aussonderungen
vorgenommen worden waren

ZEUGE 8 Es wurde zum Effektenlager gebracht
und dort sortiert und aufgestapelt

ANKLÄGER Wie groß war das Effektenlager

ZEUGE 8 Es bestand aus 35 Baracken

ANKLÄGER Können Sie Angaben machen
in Bezug auf die Werte und Mengen
des erfaßten Gutes

ZEUGE 8 Indem man den Häftlingen
vor der Deportierung geraten hatte
soviel wie möglich an Wertgegenständen
Wäsche Kleidern Geld und Werkzeugen mitzunehmen
unter dem Vorwand daß dort
wo sie angesiedelt werden sollten
nichts zu bekommen sei
nahmen alle ihren letzten Besitz mit
Vieles wurde schon auf der Rampe
bei den Vorsortierungen herausgenommen
Die aussondernden Ärzte
nahmen nicht nur Gebrauchsgegenstände an sich
sondern auch Schmuckstücke und Valuten
die sie kofferweise für sich zurückstellten
Dann nahmen sich die Wachmannschaften
und die Mitglieder des Zugpersonals

                     das ihre
                     Auch für uns fiel immer etwas ab
                     mit dem wir später Tauschgeschäfte
                     betreiben konnten
                     In der Effektenkammer ergaben sich
                     bei der Zusammenrechnung
                     Milliardenwerte
ANKLÄGER   Herr Zeuge
                     Können Sie uns Angaben machen
                     über die genauen Werte
                     des von den Häftlingen übernommenen Gutes
ZEUGE 8     Nach einem Abschlußbericht
                     über die Zeit vom 1. April 1942
                     bis zum 15. Dezember 1943
                     beliefen sich die erfaßten Geldmittel
                     Devisen Edelmetalle und Juwelen
                     auf 132 Millionen Mark
                     wozu noch 1900 Waggons voller Spinnstoffe kamen
                     im Wert von 46 Millionen
                     Da stand noch ein Jahr
                     der größten Transporte bevor
ANKLÄGER   Wer übernahm diese Werte
ZEUGE 8     Die Güter wurden weitergeleitet
                     an die Reichsbank
                     beziehungsweise an das Reichswirtschaftsministerium
                     Der Schmuck wurde eingeschmolzen
                     Uhren zum Beispiel
                     kamen an die Truppen
RICHTER     Kam es auf der Rampe nie
                     zu Widersetzlichkeiten
                     Die Ankommenden waren den Bewachern zahlenmäßig
                     um das Vielfache überlegen
                     Sie wurden von ihren Familienmitgliedern getrennt
                     Der Besitz wurde ihnen genommen
                     Wehrten sie sich nicht
ZEUGE 9     Sie wehrten sich nie
RICHTER     Warum wehrten sie sich nicht
ZEUGE 9     Die Ankommenden waren erschöpft
                     und ausgehungert

                    Sie hofften nur
                    daß sie endlich zur Ruhe kämen
RICHTER   Ahnten sie nicht
                    was ihnen bevorstand
ZEUGE 9   Wie sollten sie es sich vorstellen
                    daß sie praktisch nicht mehr existierten
                    Ein jeder glaubte noch daran
                    daß er überleben konnte

## 2 Gesang vom Lager

### I

ZEUGIN 4  Als wir über die Gleise gegangen waren
und vor dem Lagereingang warteten
hörte ich
wie ein Häftling zu einer Frau sagte
Der Rotekreuzwagen fährt nur das Gas
zu den Krematorien
Dort werden eure Angehörigen getötet
Die Frau begann zu schreien
Ein Offizier der die Worte gehört hatte
wandte sich an sie
Er sagte
Aber gnädige Frau
wie können Sie einem Häftling glauben
Das sind doch alles Verbrecher
und Geisteskranke
Sehen Sie doch die abstehenden Ohren
die kahlgeschorenen Köpfe
Wie können Sie auf solche Leute hören

RICHTER  Frau Zeugin
Erinnern Sie sich
wer der Offizier war

ZEUGIN 4  Ich sah ihn später wieder
Ich arbeitete als Schreiberin unter ihm
in der Politischen Abteilung
Sein Name ist Broad

RICHTER  Können Sie uns
den Angeklagten Broad zeigen

ZEUGIN 4  Dies ist Herr Broad
*Der Angeklagte 16 nickt der Zeugin freundlich zu*

RICHTER  Was geschah mit dem Häftling

ZEUGIN 4  Ich hörte
daß er für Verbreitung von Greuelnachrichten
zu 150 Stockschlägen verurteilt wurde
Er starb daran

RICHTER Angeklagter Broad
haben Sie etwas dazu zu sagen

ANGEKLAGTER 16 Der Fall ist mir nicht erinnerlich
So viele Schläge wurden bei uns
nie verabfolgt

ZEUGE 3 Obgleich unser Gepäck zurückgeblieben war
und wir getrennt worden waren
von unsern Familienmitgliedern
gingen wir noch ohne Mißtrauen
durch das Tor zwischen den Stacheldrähten
wir glaubten
daß unsere Frauen und Kinder
jetzt drüben zu essen bekämen
und daß wir sie bald wiedersehen dürften
Dann aber sahen wir Hunderte
von zerlumpten Gestalten
viele bis aufs Skelett abgemagert
Da verging uns die Zuversicht

ZEUGE 6 Einer kam auf uns zu
der rief
Häftlinge
Seht den Rauch da hinter den Baracken
Der Rauch
das sind eure Frauen und Kinder
Auch für euch
die ihr ins Lager eingetreten seid
wird es nur einen Ausgang geben
Durch die Roste der Kamine

ZEUGE 3 Wir wurden in eine Waschbaracke getrieben
Wachleute und Häftlinge kamen
mit Stößen von Papieren
Wir mußten uns ausziehn
und alles was wir noch besaßen
wurde uns abgenommen
Uhren Ringe Ausweise und Fotos
wurden auf dem Personalbogen registriert
Anschließend wurde uns die Nummer
in den linken Unterarm tätowiert

RICHTER Wie wurde die Tätowierung ausgeführt

ZEUGE 3  Mit Nadelstempeln wurden uns die Ziffern
in die Haut gestochen
Dann wurde Tusche hineingerieben
Die Haare wurden uns abgeschoren
wir kamen unter kalte Duschen
Zum Schluß wurden wir eingekleidet

RICHTER  Woraus bestand die Kleidung

ZEUGE 3  Aus einer löchrigen Unterhose
einem Unterhemd
einer zerrissenen Jacke
einer geflickten Hose
einer Mütze
und einem Paar Holzschuhe
Dann begaben wir uns im Laufschritt
zu unserm Block

RICHTER  Wie sah der Block aus

ZEUGE 3  Eine Holzbaracke ohne Fenster
Vorn und hinten eine Tür
Oberlichtklappen unter dem schrägen Dach
Rechts und links dreistöckige Pritschen
Die untere Schlafstätte zu ebener Erde
Die Pritschen von gemauerten
Zwischenwänden getragen
Länge der Baracke etwa 40 Meter

RICHTER  Wieviele Häftlinge
waren dort untergebracht

ZEUGE 3  Der Belegraum war für 500 Menschen berechnet
Wir waren dort 1000 Mann

RICHTER  Wieviele solcher Baracken gab es

ZEUGE 3  Über 200

RICHTER  Wie breit waren die Pritschen

ZEUGE 3  Etwa 1.80 Meter breit
Auf jeder Pritsche lagen 6 Mann
Sie mußten abwechselnd auf der rechten
und auf der linken Seite liegen

RICHTER  Gab es Stroh oder Decken

ZEUGE 3  Manche Pritschen hatten Stroh
Das Stroh war verfault
Von den oberen Pritschen rieselte das Stroh

|          | auf die unteren Pritschen herab |
|----------|--------------------------------|

auf die unteren Pritschen herab
Für jede Pritsche gab es eine Decke
Daran zog abwechselnd der eine der außen lag
und dann der andere
In der Mitte lagen die Stärksten

RICHTER  Waren die Baracken geheizt

ZEUGE 3  Es gab 2 eiserne Öfen
von den Öfen aus liefen Rohre
zum Schornstein in der Mitte
Die Rohre waren ummauert
Diese Ummauerungen dienten als Tische
Die Öfen waren nur selten geheizt

RICHTER  Wie waren die sanitären Einrichtungen

ZEUGE 3  In der Waschbaracke befanden sich Holztröge
mit einem durchlöcherten Eisenrohr darüber
Aus dem Rohr tröpfelte das Wasser
In der Latrine standen lange Betonbecken
darauf lagen Bretter mit runden Öffnungen
200 Personen konnten auf einmal Platz nehmen
Das Latrinenkommando paßte auf
daß niemand zu lange saß
Die Leute des Kommandos schlugen
mit Stöcken zwischen die Häftlinge
um sie wegzujagen
Bei manchen ging es aber nicht so schnell
und vor Anstrengung trat ihnen der Mastdarm
ein Stück hervor
Wenn sie vertrieben worden waren
stellten sie sich wieder bei den Wartenden an
Papier gab es nicht
Manche rissen sich Fetzen ihrer Kleidung ab
um sich zu reinigen
oder stahlen einander nachts
Stücke aus der Montur
um Vorrat zu haben
Man mußte seine Notdurft morgens erledigen
Tagsüber gab es keine Möglichkeit dazu
Wer doch dabei ertappt wurde
erhielt Kerkerstrafe

Die Abwässer aus der Waschbaracke
liefen in die Latrine
um den Kot wegzuschwemmen
Es gab immer wieder Stauungen
weil der Wasserdruck nicht ausreichte
Dann kamen die Scheißkommandos
um das Zeug abzusaugen
Der Gestank der Latrinen
vermischte sich mit dem Geruch
des Rauchs

ZEUGIN 4 Die Näpfe die wir erhalten hatten
dienten einem dreifachen Zweck
Zum Waschen
Zum Suppefassen
und zum Verrichten der nächtlichen Notdurft
Im Frauenlager war die einzige Wasserquelle
unmittelbar neben der Latrine
An dem dünnen Strahl
der in die Bottiche mit den Exkrementen
weiterlief
standen die Frauen und tranken
und versuchten
sich etwas Wasser in ihren Napf abzuschöpfen
Diejenigen die aufgaben
sich zu waschen
gaben sich selbst auf

ZEUGIN 5 Schon beim Herausspringen aus dem Waggon
in das Gewühl der Rampe
wußte ich
daß es hier darum ging
seinen eigenen Vorteil zu wahren
sich nach oben zu fügen
und einen günstigen Eindruck zu wecken
und sich fernzuhalten von allem
was einen nach unten ziehen konnte
Als wir im Aufnahmeraum
auf die Tische gelegt wurden
und man uns After und Geschlechtsteile
nach versteckten Wertgegenständen untersuchte

vergingen die letzten Reste
unseres gewohnten Lebens
Familie Heim Beruf und Besitz
das waren Begriffe
die mit dem Einstechen der Nummer
ausgelöscht wurden
Und schon begannen wir
nach neuen Begriffen zu leben
und uns einzufügen in diese Welt
die für diejenigen
die darin existieren wollten
zur normalen Welt wurde
Das oberste Gesetz war
gesund zu bleiben
und körperliche Kraft zu zeigen
Ich hielt mich dicht neben denen
die zu schwach waren
ihre Ration zu essen
um mir diese bei der ersten Gelegenheit
anzueignen
Ich lag auf der Lauer
wenn eine die einen besseren Schlafplatz besaß
dem Tod nah war
Unser Aufstieg in der neuen Gesellschaft
begann in der Baracke
die jetzt unser Heim war
Vom Schlafloch auf dem kalten Lehmboden
kämpften wir uns empor
zu den warmen Plätzen der oberen Pritschen
Wenn zwei aus der selben Schüssel essen mußten
starrten sie einander auf die Kehle
um darüber zu wachen
daß die andere nicht einen Löffel mehr schluckte
Unsere Ambitionen
waren auf ein einziges Ziel gerichtet
irgend etwas zu gewinnen
Es war das Normale
daß uns alles gestohlen worden war
Es war das Normale

daß wir wieder stahlen
Der Schmutz die Wunden und die Seuchen ringsum
waren das Normale
Es war normal
daß zu allen Seiten gestorben wurde
und normal war
das unmittelbare Bevorstehn des eigenen Todes
Normal war
das Absterben unserer Empfindungen
und die Gleichgültigkeit
beim Anblick der Leichen
Es war normal
daß sich zwischen uns solche fanden
die denen die über uns standen
beim Prügeln halfen
Wer zur Dienerin der Blockältesten wurde
gehörte nicht mehr zu den Niedrigsten
und noch höher gelangte die
die es vermochte
sich bei den Blockführerinnen einzuschmeicheln
Überleben konnte nur der Listige
der sich jeden Tag
mit nie erlahmender Aufmerksamkeit
seinen Fußbreit Boden eroberte
Die Unfähigen
die Trägen im Geiste
die Milden
die Verstörten und Unpraktischen
die Trauernden und die
die sich selbst bedauerten
wurden zertreten
ZEUGE 6  Am ersten Morgen standen wir beim Appell
Es regnete
Wir standen stundenlang
und sahen
wie hinter den Stacheldrähten
auf der andern Seite der Rampe
Frauen auf die Lastwagen geprügelt wurden
Sie waren nackt und schrien

                    zu uns Männern hinüber
                    Sie erwarteten Hilfe von uns
                    doch wir standen nur da und zitterten
                    und konnten ihnen nicht helfen
ZEUGIN 4    Ich kam in eine Baracke
                    die war voll von Leichen
                    Da sah ich
                    daß sich etwas rührte zwischen den Toten
                    Es war ein junges Mädchen
                    Ich habe es herausgezogen auf die Lagerstraße
                    und gefragt
                    Wer bist du
                    Wie lange bist du hier
                    Ich weiß es nicht
                    sagte sie
                    Warum liegst du hier zwischen den Toten
                    fragte ich
                    Da sagte sie
                    Bei den Lebenden kann ich nicht mehr sein
                    Am Abend war sie tot
ZEUGIN 5    Wir mußten Gräben ausheben
                    Viele Frauen brachen
                    unter den Schaufeln mit Lehm zusammen
                    Wir standen bis zur Hüfte im Wasser
                    Die Bewacher sahen uns zu
                    Es waren ganz junge Leute
                    Eine Frau wandte sich an den Kommandoführer
                    Herr Hauptmann
                    rief sie
                    ich kann doch nicht so arbeiten
                    ich bin schwanger
                    Da lachten die Leute
                    und einer drückte sie mit der Schaufel
                    so lange unter das Wasser
                    bis sie ertrunken war
ZEUGE 7      Ich hörte
                    wie ein Wachposten sich über den Draht
                    mit einem neunjährigen Jungen unterhielt
                    Du weißt ja schon ziemlich viel für dein Alter

sagte der Mann
Der Junge erwiderte
Ich weiß daß ich viel weiß
und ich weiß auch
daß ich nichts mehr dazulernen werde
Er wurde zusammen mit einer Gruppe
von etwa 90 Kindern
auf die Lastwagen verladen
Als die Kinder sich sträubten
rief er
Steigt nur rauf aufs Auto
schreit doch nicht so
ihr habt doch gesehn
wie unsre Eltern und Großeltern
abgefahren sind
Steigt nur rauf
dann werdet ihr sie wiedersehn
Und als sie fuhren
hörte ich
wie er dem Wachmann noch zurief
Es wird euch nichts geschenkt werden


## II


ZEUGE 8   Morgens erhielt jeder
einen halben Liter Brühe
die Brühe enthielt ein Kaffee-Ersatzmittel
Dazu gab es 5 Gramm Zucker
Manche hatten vom Abend vorher
noch ein Stück trockenes Brot
Mittags wurde Suppe ausgegeben
Die Suppe war aus Abfällen von Kartoffeln
Rüben und Kohl gekocht
mit einem minimalen Zusatz von
Fleisch oder Fett
und mit einem mehligen Nahrungsstoff
der gab der Suppe den Geschmack
der Lagersuppe

Zusätzlich gab es Papierschnitzel
und Lumpen in der Suppe
Bei der Ausgabe stritten die Häftlinge
sich nicht darum
wer zuerst seinen Schlag abholen durfte
sondern wer zum Schluß an die Reihe kam
Das erste Drittel der Suppe
bestand aus Wasser
Erst unten trieb etwas Nährendes herum
Abends nach dem Appell
erhielt jeder sein Stück Brot
von 300 bis 350 Gramm
und verschiedene Zulagen
etwa 20 Gramm Wurst
30 Gramm Margarine
oder einen Eßlöffel Rübenmarmelade
Freitags gab es manchmal
5 bis 6 Pellkartoffeln
Oft gab es nur die Hälfte der Zulage
oder sie fiel ganz aus
weil das Lagerpersonal
von den Wachmannschaften an
bis hinauf zum Kommandanten
sich selbst unbehindert
Lebensmittel aus den Häftlingsmagazinen
holte

ANKLÄGER   Herr Zeuge
Wieviel Kalorien betrug im Durchschnitt
die tägliche Verpflegung

ZEUGE 8   Etwa 1000 bis 1300 Kalorien
Im Zustand der Ruhe
kommt der Organismus mit 1700 Kalorien aus
Ein Schwerarbeiter braucht etwa 4800
Da alle schwer arbeiteten
waren die letzten Reserven bald verbraucht
Je nach dem Stadium des Hungers
wurden die Bewegungen langsamer
weil keine Kraft mehr da war
den eigenen Körper zu tragen

Apathie und Schläfrigkeit
waren charakteristische Merkmale
der Schwächung
Die körperliche Abzehrung
war von einer geistigen Erschöpfung begleitet
die bis zum völligen Schwund
des Interesses an den Geschehnissen führte
Ein solcher Häftling konnte seine Gedanken
nicht mehr konzentrieren
Sein Erinnerungsvermögen schwand so weit
daß er oft nicht mehr
seinen eigenen Namen nennen konnte
Im Durchschnitt vermochte ein Häftling
nicht länger als 3 bis 4 Monate zu leben

VERTEIDIGER   Herr Zeuge
Wie war es möglich
daß Sie selbst überlebten

ZEUGE 8   Überleben konnte nur der
dem es während der ersten Wochen gelang
irgendeinen Innendienst zu bekommen
sei es durch eine Spezialistentätigkeit
oder durch die Ernennung
zu einer Hilfsfunktion
Für einen Funktionshäftling
der sich darauf verstand
seine Vorzugsstellung auszunutzen
war im Lager praktisch alles zu erhalten

VERTEIDIGER   Was für eine Vorzugsstellung hatten Sie

ZEUGE 8   Ich war Häftlingsarzt
anfangs im Quarantänelager
später im Krankenbau

RICHTER   Wie waren dort die Verhältnisse

ZEUGE 8   Im Quarantänelager gab es Ratten
Die nagten nicht nur die Leichen an
sondern auch die Schwerkranken
Oft waren die Füße von denen
die in Agonie lagen
morgens angebissen
Die Tiere holten sich nachts Brot

aus den Taschen der Häftlinge
Oft beschimpfte man sich gegenseitig
Du hast mir mein Brot gestohlen
Aber es waren die Ratten
Milliarden von Flöhen
peinigten das Lager
Wer Stiefel hatte gab sie ab
weil ihm das Ungeziefer
den kostbaren Besitz verleidete
Wer nur Strümpfe und Lumpen anhatte
konnte sich wenigstens kratzen
Im Häftlingskrankenbau war es besser
Da gab es Binden aus Kreppapier
etwas Zellstoff
Ein Faß mit Ichthyolsalbe
und ein Faß mit Kreide
Alle Wunden wurden mit der Salbe bestrichen
und auf Bartflechte kam Kreide
damit man sie nicht mehr sah
Wir hatten auch ein paar Aspirintabletten
die wurden an Zwirnsfäden aufgehängt
Kranke mit Fieber unter 38 Grad
durften einmal lecken
Kranke mit Fieber über 38 Grad
zweimal

RICHTER Was waren die häufigsten Krankheiten
ZEUGE 8 Außer allgemeiner Schwäche
und Körperschäden durch Mißhandlung
hatten wir Fleckfieber und Paratyphus
Bauchtyphus Rotlauf und Tuberkulose
sowie die eigentliche Lagerkrankheit
einen therapieresistenten Durchfall
Die Furunkulose blühte im Lager
Oft schlugen die Wachleute
die Geschwüre mit Stöcken auf
bis sich das Fleisch von den Knochen schälte
Ich habe im Lager Krankheiten gesehn
von denen ich nie geglaubt hätte
daß ich sie mal zu Gesicht bekommen würde

Krankheiten
von denen man nur in Lehrbüchern liest
Da war Noma
eine Krankheit die nur
bei völlig entkräfteten Menschen auftritt
und die Löcher in die Wangen frißt
durch die die Zähne zu sehen sind
Oder Phemphicus
eine überaus seltene Krankheit
in deren Verlauf sich die Haut
in Blasen ablöst
und die nach wenigen Tagen
mit dem Tod endet

ZEUGE 9 Nach dem Abendappell
holte unser Blockältester
sich einige zum Sportmachen heraus
Wir mußten hüpfen wie Frösche
Schneller hüpfen schneller hüpfen
rief er
und wenn einer nicht mitkam
schlug er ihn mit einem Schemel zusammen

RICHTER Wie hieß dieser Blockälteste

ZEUGE 9 Er hieß Bednarek
und ich kann auf ihn zeigen

ANGEKLAGTER 18 Daß beim Sportmachen Leute geschlagen wurden
ist mir nicht bekannt

RICHTER Wie ging denn das Sportmachen vor sich

ANGEKLAGTER 18 Häftlinge die auffielen
mußten leichte Leibesübungen machen
Mal linksum
mal rechtsum
Das war alles

ZEUGE 9 Im Winter ließ Bednarek
Häftlinge eine halbe Stunde lang
unter der kalten Dusche stehn
bis sie unterkühlt waren und erstarrten
Dann wurden sie auf den Hof geworfen
wo sie verstarben

ANGEKLAGTER 18 Diese Beschuldigungen sind frei erfunden

So etwas konnte ich ja gar nicht tun
Ich war doch selbst Funktionshäftling
und hatte über mir den Kapo
den Arbeitsdienstführer
und den Lagerältesten
Ich selbst
das kann ich heute mit Stolz sagen
habe Mithäftlinge in meiner Stube
schlafen lassen
und bei uns im Block gabs abends
immer viel Spaß

ZEUGE 9   Wenn Bednarek
einen Häftling erschlagen hatte
ging er in seine Stube
und betete

ANGEKLAGTER 18   Da muß ich sagen
Gottgläubig das bin ich
aber zu beten habe ich nicht gewagt
Dafür gab es zu viel Spitzel
Und erschlagen habe ich nie jemanden
Es hat höchstens mal eine gesetzt
wenn ich bei Streitigkeiten
zu schlichten hatte

ZEUGE 3   Vor allem einer war im Lager
der war immer vornean
wo geschlagen und getötet wurde
Der hieß Kaduk
Kaduk war ein Begriff

RICHTER   Herr Zeuge
können Sie uns den Angeklagten Kaduk
zeigen

ZEUGE 3   Dies ist Herr Kaduk
*Der Angeklagte 7 grinst den Zeugen an*
Kaduk wurde von den Häftlingen
Professor genannt
oder
Der heilige Dr. Kaduk
weil er selbständig Aussonderungen vornahm
Mit dem Griff seines Stocks

fischte er sich die Opfer
am Hals oder am Bein heraus

ANGEKLAGTER 7 Herr Direktor
Diese Behauptung ist unwahr

ZEUGE 3 Ich war dabei
als Kaduk Hunderte von Häftlingen
aus der Krankenstation holen ließ
Sie mußten sich in der Wäscherei ausziehn
und in einer Reihe
an Kaduk vorbeilaufen
Er hielt den Spazierstock in der Höhe
von etwa einem Meter vor sie hin
Sie mußten darüber springen
Wer den Stock berührte
kam ins Gas
Wem der Sprung über den Stock gelang
wurde geschlagen bis er zusammenbrach
Jetzt spring noch einmal
rief Kaduk
und zum zweiten Mal
gelang es nicht mehr

ANGEKLAGTER 7 Ich habe keine Häftlinge ausgesondert
Ich habe nichts entschieden
Da war ich gar nicht zuständig

RICHTER Wozu waren Sie denn zuständig

ANGEKLAGTER 7 Ich hatte nur zur Bewachung
bei Aussonderungen zugegen zu sein
Da habe ich aufgepaßt wie ein Luchs
daß von den Ausgesonderten
niemand mehr herüberwechselte
zur arbeitsfähigen Gruppe

RICHTER Hatten Sie auch Dienst auf der Rampe

ANGEKLAGTER 7 Ja
Da hatte ich den Gruppenverkehr
zu regeln

RICHTER Wie machten Sie das

ANGEKLAGTER 7 Alles raustreten
Gepäck auf die Rampe
Antreten zu fünft

47

Vorwärts marsch
ZEUGE 3 Kaduk schoß wahllos
in die Leute hinein
ANGEKLAGTER 7 Wahllos zu schießen
wäre mir nicht eingefallen
Hätte ich schießen wollen
dann hätte ich auch den getroffen
den ich aufs Korn nahm
Scharf war ich
das kann ich schon sagen
Aber ich habe nur getan
was ich tun mußte
RICHTER Und was mußten Sie tun
ANGEKLAGTER 7 Zusehn daß der Betrieb klappte
Kinder wurden grundsätzlich
gleich überstellt
auch Mütter die sich von den Kindern
nicht trennen wollten
Alles ging reibungslos
Die Transporte kamen an
wie warme Brötchen
da brauchte gar keine Gewalt angewendet zu werde
Die nahmen alles gelassen hin
Die wehrten sich nicht
weil sie einsahen
daß jeder Widerstand
sinnlos gewesen wäre
ZEUGE 6 Einmal schlug Kaduk in unserm Arbeitskommando
einen Häftling zusammen
Dann legte er ihm seinen Stock über den Hals
stellte sich auf beide Enden
und wippte hin und her
bis der Mann erdrosselt war
ANGEKLAGTER 7 Lüge Lüge
RICHTER Hinsetzen Kaduk
Schrein Sie den Zeugen nicht an
ANGEKLAGTER 7 Herr Direktor
das ist einfach nicht wahr
was hier gesagt wird

Mir geht es nur um die Wahrheit
Auf diese Weise ist bei uns
nie ein Häftling getötet worden
Wir hatten Befehl
mit den Arbeitskräften
schonend umzugehn
Aber manchmal fiel einer schon um
wenn ich bloß die Hand hob
Das hat er nur vorgetäuscht
*Die Angeklagten lachen*
Herr Direktor
An Schlagen hatten wir gar kein Interesse
Von morgens 5.30 an waren wir auf den Beinen
und abends hatten wir noch Rampendienst zu machen
Das genügte uns
Herr Direktor
ich will nichts anderes als in Frieden leben
Das habe ich doch gezeigt in den vergangenen Jahren
Ich war Krankenpfleger
und ich war beliebt bei meinen Patienten
Die können es bezeugen
Papa Kaduk nannten sie mich
Sagt das nicht alles
Soll ich jetzt dafür büßen
was ich damals tun mußte
Alle andern haben es ja auch getan
Warum nimmt man gerade mich fest


III


ZEUGIN 4  Je besser es einem gelang
seine Untergebenen herabzudrücken
desto sicherer war seine Position
Ich sah wie sich das Gesicht
der Blockältesten veränderte
wenn sie mit einer Vorgesetzten sprach
da war sie munter und liebenswürdig
und dahinter spürte man ihre Furcht

Manchmal wurde sie von der Aufseherin
wie die beste Freundin behandelt
und genoß viele Freiheiten
Aber hatte die Aufseherin nur einmal
schlecht geschlafen
dann konnte die Bevorzugte
von einem Augenblick zum andern
gestürzt werden
und sie hatte schon alles durchgemacht
ihre Angehörigen hatte man vor ihren Augen
                                niedergeknall
sie hatte zusehn müssen
wie man ihre Kinder ermordete
sie war abgestumpft wie wir andern auch
sie wußte
war sie einmal untergetaucht
half ihr keiner
und eine andere an ihrer Stelle
schlug weiter
So schlug sie uns
weil sie oben bleiben wollte
um jeden Preis

ZEUGIN 5 Die Frage
was recht und was unrecht
bestand nicht mehr
Für uns galt nur das
was uns im Augenblick nützlich sein konnte
Nur unsere Herren konnten es sich leisten
Launen zu haben
und sogar Rührung zu zeigen
oder Mitleid
und Pläne zu schmieden für die Zukunft
Der Lagerarzt Dr. Rohde
ließ mich in seiner Abteilung arbeiten
Er erfuhr
daß wir in der gleichen Stadt studiert hatten
und fragte mich
ob wir einander nicht begegnet wären
im Ritter

wo er manches Glas Wein getrunken hatte
und ich dachte
schön wenn du willst
so bestätige ich es dir
und so erinnerte ich ihn an seine Jugend
und er sagte
Nach dem Krieg werden wir dort wieder
beisammensitzen
Dr. Mengele sandte einer Schwangeren Blumen
und die Frau des Kommandanten
schickte mit einem Gruß
eine selbstgestrickte Säuglingsjacke
in die Kinderbaracke
wo es einem andern eingefallen war
Zwerge auf die Wände malen zu lassen
und eine Sandkiste aufzustellen
Die Wege zu den Krematorien
wurden zwischen den Schüben geharkt
Da standen beschnittene Büsche
und im Gras über den unterirdischen Kammern
waren Blumenbeete angelegt
Mengele kam in seiner feschen Art
die Daumen im Bauchriemen steckend
freundlich nickte er den Kindern zu
die ihn Onkel nannten
ehe sie in seinem Laboratorium
zerschnitten wurden
Doch da gab es auch einen
der hieß Flacke
In dessen Abteilung starb keiner an Hunger
und dort gingen die Häftlinge
in sauberen Kleidern
Herr Sanitätsdienstgrad
sagte ich zu ihm
für wen tun Sie das was Sie hier tun
einmal werden doch alle verschwinden müssen
denn es darf nicht einen einzigen Zeugen geben
Da sagte er
Genügend werden unter uns sein

                    die das zu verhindern wissen
ANKLÄGER   Sie wollen damit sagen
                    Frau Zeugin
                    daß es an jedem einzelnen der Bewacher lag
                    sich gegen die Verhältnisse zu wehren
                    und sie zu verändern
ZEUGIN 5   Eben das wollte ich sagen
ZEUGE 1    Normal reagieren
                    konnte man nur in den ersten Stunden
                    Wenn man erst einmal eine zeitlang dort war
                    war es nicht mehr möglich
                    Geriet man in das Reglement hinein
                    war man gefangen
                    und mußte mitmachen
ANKLÄGER   Herr Zeuge
                    Sie waren als Arzt
                    zur Seuchenbekämpfung angefordert worden
ZEUGE 1    Zwischen dem Lagerpersonal und deren Familien
                    waren Fälle von Fleckfieber
                    und Typhus aufgetreten
                    Ich hatte mich auf Anweisung
                    des Hygiene-Instituts
                    ins Lager zu begeben
ANKLÄGER   Es handelte sich also nicht
                    um Behandlung von Häftlingen
ZEUGE 1    Nein
ANKLÄGER   Gewannen Sie einen Einblick
                    in die Zustände des Lagers
ZEUGE 1    Gleich nach meiner Ankunft
                    sagte der Chef des Laboratoriums zu mir
                    Das ist alles neu für dich und halb so schlimm
                    Wir haben nichts mit der Liquidierung
                    von Menschen zu tun
                    und es geht uns auch nichts an
                    Wenn du nach 14 Tagen
                    nicht mehr hierbleiben willst
                    kannst du wieder gehn
                    Mit dem Vorsatz
                    das Lager nach 2 Wochen zu verlassen

trat ich meine Arbeit an
Nach einigen Tagen schon befahl mir
der Standortarzt Dr. Wirth
an Aussonderungen auf der Rampe teilzunehmen
Als ich erklärte
daß ich da nicht mitmachen werde
sagte er
Sie haben dort nicht viel zu tun
Doch ich weigerte mich

ANKLÄGER   Was geschah auf Ihre Weigerung hin

ZEUGE 1   Es geschah nichts
Ich hatte bei den Selektionen
nicht mitzuwirken

ANKLÄGER   Verließen Sie nach der Probezeit das Lager

ZEUGE 1   Ich entschloß mich dann doch
zu bleiben
um etwas gegen die Krankheiten zu tun
Ich sah daß es möglich war
wenigstens hier und da etwas zu verhindern
ohne daß man sich selbst exponierte
Auf Grund meiner Arbeit gelang es
die Epidemiegefahr zu beheben

ANKLÄGER   Zwischen dem Lagerpersonal
Nicht zwischen den Häftlingen

ZEUGE 1   Ja
Das war meine Aufgabe

RICHTER   Herr Zeuge
Sie waren damals verantwortlich
für die äußere und innere Postenkette
sowie für die Wachmannschaften
der Arbeitskommandos
Was hatten Sie dabei zu tun

ZEUGE 2   Meine Aufgabe war
die Soldaten zu beobachten
ob sie auch treu und richtig wachten

RICHTER   Was für Grundsätze galten
bei dieser Bewachung

ZEUGE 2   Bei einem Fluchtversuch hatte der Soldat
den Flüchtling erst dreimal anzurufen

|   | und dann den Warnschuß abzugeben |
|---|---|
|   | Hielt der Flüchtling dann immer noch nicht |
|   | hatte er ihn fluchtunfähig zu schießen |
| RICHTER | Wurden dabei Häftlinge erschossen |
| ZEUGE 2 | Bei mir nicht |
| RICHTER | Sind Häftlinge in den |
|   | elektrisch geladenen Stacheldraht gelaufen |
| ZEUGE 2 | Bei mir nicht |
| RICHTER | Ist es denn sonst vorgekommen |
| ZEUGE 2 | Ich habe mal davon gehört |
| RICHTER | Befolgten die Wachmannschaften |
|   | die Instruktionen |
| ZEUGE 2 | Soweit ich im Bilde bin |
|   | ja |
|   | Darauf mein Ehrenwort |
| RICHTER | Wissen Sie etwas vom Mützenschießen |
| ZEUGE 2 | Von was |
| RICHTER | Vom Mützenschießen |
| ZEUGE 2 | Ich habe davon gehört |
| RICHTER | Was haben Sie gehört |
| ZEUGE 2 | Die haben erzählt |
|   | daß die Mützen werfen |
|   | und dann haben sie geschossen |
| RICHTER | Wer hat die Mützen geworfen |
|   | Wessen Mützen |
|   | Und wer hat geschossen |
| ZEUGE 2 | Das weiß ich nicht |
| RICHTER | Was hat man Ihnen denn erzählt |
| ZEUGE 2 | Ja |
|   | da wurde einem Häftling befohlen |
|   | sich die Mütze vom Kopf zu reißen |
|   | und sie wegzuwerfen |
|   | und dann hieß es |
|   | Los |
|   | lauf und hol dir die Mütze |
|   | Und wenn er lief |
|   | wurde er abgeknallt |
| RICHTER | Und wenn er nicht lief |
| ZEUGE 2 | Dann wurde er auch erschossen |

|  | denn das war Befehlsverweigerung |
| ANKLÄGER | Herr Zeuge |
|  | gab es Sonderrationen oder Sonderurlaub |
|  | als Prämien für |
|  | auf der Flucht erschossene Häftlinge |
| ZEUGE 2 | Ein solcher Fall ist mir nicht bekannt |
|  | Das glaube ich auch nicht |
|  | Es würde dem Ansehen eines Soldaten widersprechen |
|  | wenn eine solche Handlung belohnt würde |
| ANKLÄGER | Das Gericht ist im Besitz von Dokumenten |
|  | nach denen in verschiedenen Fällen |
|  | Wachsoldaten für auf der Flucht |
|  | erschossene Häftlinge |
|  | belobigt wurden |
|  | Auch wurden laufend Listen |
|  | mit auf der Flucht erschossenen Häftlingen |
|  | ausgestellt |
| ZEUGE 2 | Das ist mir neu |
| ANKLÄGER | Herr Zeuge |
|  | soweit wir unterrichtet sind |
|  | üben Sie heute den Beruf |
|  | eines Versicherungsdirektors aus |
| VERTEIDIGER | Wir protestieren |
|  | gegen diese unsachgemäßen Einlassungen |
|  | der Staatsanwaltschaft |
| ANKLÄGER | Herr Zeuge |
|  | Wir nehmen an |
|  | daß Ihnen die Bedeutung einer persönlichen |
|  | Unterschrift bekannt ist |
| ZEUGE 2 | Jawohl |
| ANKLÄGER | Einige dieser Listen |
|  | sind von Ihnen unterzeichnet |
| ZEUGE 2 | Es ist möglich |
|  | daß ich das einmal |
|  | routinemäßig tun mußte |
|  | Ich kann mich daran |
|  | nicht mehr erinnern |

# 3 Gesang von der Schaukel

## I

| | |
|---|---|
| RICHTER | Frau Zeugin |
| | Sie waren als Häftling |
| | in der Politischen Abteilung |
| | Was hatten Sie dort zu tun |
| ZEUGIN 5 | Zuerst war ich Stenotypistin |
| | in der Schreibstube |
| | dann wurde ich auf Grund meiner Sprachkenntnisse |
| | Dolmetscherin |
| RICHTER | Von wem wurden Sie dazu angefordert |
| ZEUGIN 5 | Von Herrn Boger |
| RICHTER | Frau Zeugin |
| | erkennen Sie den Angeklagten Boger wieder |
| ZEUGIN 5 | Dies ist Herr Boger |
| | *Der Angeklagte 2 begrüßt die Zeugin freundlich* |
| VERTEIDIGER | Frau Zeugin |
| | wo befand sich die Politische Abteilung |
| ZEUGIN 5 | Das war eine Holzbaracke |
| | gleich hinter dem Eingang |
| VERTEIDIGER | Hinter welchem Eingang |
| ZEUGIN 5 | Gleich links hinter dem Eingang |
| | zum alten Kasernenlager |
| VERTEIDIGER | Wie weit lag das alte Lager |
| | von den Außenlagern entfernt |
| ZEUGIN 5 | Etwa 3 Kilometer |
| VERTEIDIGER | Wo waren Sie untergebracht |
| ZEUGIN 5 | Im Frauenlager |
| VERTEIDIGER | Können Sie uns den Weg |
| | zu Ihrem Arbeitsplatz beschreiben |
| ZEUGIN 5 | Wir mußten jeden Morgen |
| | aus dem Lager heraus |
| | und an den Feldern entlangmarschieren |
| | Der Weg führte über den Bahndamm |
| | Da rangierten die Güterzüge |
| | Wir mußten oft an der Schranke warten |

Hinter dem Bahndamm waren wieder Felder
und ein paar verlassene Höfe
Dann kamen wir durch ein Gittertor
Da standen Bäume
und da war das alte Krematorium
Daneben lag die Politische Abteilung

VERTEIDIGER Lag die Politische Abteilung
im eigentlichen Lagergebiet

ZEUGIN 5 Sie lag außerhalb des Straflagers
Erst kamen die Verwaltungsgebäude
Dann kamen die doppelten Stacheldrähte
und die Wachtürme
Dahinter lagen die Blocks der Häftlinge

VERTEIDIGER Wie sah die Baracke der Politischen Abteilung aus

ZEUGIN 5 Sie war einstöckig
und grün gestrichen

VERTEIDIGER Wie sah das Schreibzimmer aus

ZEUGIN 5 Da standen Blumentöpfe auf den Fensterbrettern
und da waren Gardinen
An den Wänden waren Bilder und Sprüche

VERTEIDIGER Was für Bilder und Sprüche

ZEUGIN 5 Ich erinnere mich nicht mehr

VERTEIDIGER Wer sorgte für die Ordnung in der Schreibstube

ZEUGIN 5 Das war Herr Broad
Wir Schreiberinnen mußten immer
tipp topp aussehn
Wir durften unser Haar wachsen lassen
wir trugen Kopftücher
und hatten richtige Kleider und Schuhe
Morgens spuckten wir auf die Schuhe
und polierten sie mit den Händen

VERTEIDIGER Wie war Herr Boger zu Ihnen

ZEUGIN 5 Mich hat Herr Boger immer menschlich behandelt
Er gab mir auch oft sein Kochgeschirr
mit dem Rest seines Essens
Einmal rettete er mir das Leben
als ich zur Strafkompanie versetzt werden sollte
Ein Kapo hatte mich wegen nachlässigen
Staubwischens angezeigt

|              | Herr Boger machte die Anzeige rückgängig |
| RICHTER      | Frau Zeugin |
|              | wieviel Schreiberinnen waren in der Abteilung |
| ZEUGIN 5     | Wir waren 16 Mädchen |
| RICHTER      | Was hatten Sie zu tun |
| ZEUGIN 5     | Wir hatten die Totenlisten zu führen |
|              | Das wurde Absetzen genannt |
|              | Wir mußten die Personalien |
|              | den Todestag und die Todesursache eintragen |
|              | Die Eintragungen mußten mit absoluter |
|              | Genauigkeit vorgenommen werden |
|              | Wenn etwas vertippt war |
|              | dann wurde Herr Broad furchtbar wütend |
| RICHTER      | Wie waren die Karteien angeordnet |
| ZEUGIN 5     | Da standen 2 Tische |
|              | Auf dem einen Tisch waren die Kästen |
|              | mit den Nummern der Lebenden |
|              | Auf dem andern die Kästen |
|              | mit den Nummern der Toten |
|              | Dort konnten wir sehen |
|              | wieviele von einem Transport noch lebten |
|              | Von 100 lebten nach einer Woche |
|              | noch ein paar Dutzend |
| RICHTER      | Wurden hier alle Todesfälle |
|              | die innerhalb der Lager eintraten |
|              | verzeichnet |
| ZEUGIN 5     | Nur Häftlinge |
|              | die eine Nummer erhalten hatten |
|              | wurden in den Büchern geführt |
|              | Diejenigen die direkt von der Rampe |
|              | ins Gas geschickt wurden |
|              | kamen in keinen Listen vor |
| RICHTER      | Was für Todesursachen hatten Sie zu verzeichnen |
| ZEUGIN 5     | Die meisten Todesursachen die wir aufschrieben |
|              | waren fiktiv |
|              | Zum Beispiel durften wir nicht schreiben |
|              | Auf der Flucht erschossen |
|              | sondern Herzschlag |
|              | Und statt Unterernährung schrieben wir |

Dysenterie
Wir mußten dafür sorgen
daß nicht 2 Häftlinge zur selben Minute starben
und daß die Todesursachen ihrem Alter entsprachen
Demnach durfte ein Zwanzigjähriger nicht
an Herzmuskelschwäche sterben
In der ersten Zeit wurden noch Briefe
an die Angehörigen geschrieben

ANKLÄGER   Frau Zeugin
erinnern Sie sich an den Wortlaut der Briefe

ZEUGIN 5   Trotz aller medikamentöser Pflege
ist es leider nicht gelungen
das Leben des Inhaftierten zu retten
Wir sprechen Ihnen zu diesem großen Verlust
unser aufrichtigstes Beileid aus
Auf Wunsch kann Ihnen die Urne
gegen Nachnahme von 15 Mark
zugestellt werden

ANKLÄGER   Befand sich in dieser Urne
die Asche des Verstorbenen

ZEUGIN 5   In einer solchen Urne war Asche
von vielen Toten
Durch das Fenster konnten wir
die Leichenhaufen vor dem alten Krematorium sehen
Sie wurden aus Lastwagen gekippt

ANKLÄGER   Können Sie uns Zahlen nennen
im Zusammenhang mit den von Ihnen
verzeichneten Todesfällen

ZEUGIN 5   Wir arbeiteten 12 bis 15 Stunden am Tag
über den amtlichen Sterbebüchern
Es fielen bis zu 300 Tote pro Tag an

ANKLÄGER   Waren dabei Todesfälle
die durch unmittelbares Einwirken
der Politischen Abteilung enstanden

ZEUGIN 5   Täglich starben Häftlinge dort
durch Mißhandlung und Erschießung

VERTEIDIGER   Frau Zeugin
wo wurden die Häftlinge erschossen

ZEUGIN 5   Im Block Elf des Lagers

| | |
|---|---|
| VERTEIDIGER | Durften Sie das Lager betreten |
| ZEUGIN 5 | Nein |
| | aber wir erfuhren alles |
| | Jede Mitteilung darüber |
| | lief bei uns ein |
| | Boger sagte zu uns |
| | Was Sie hier sehen und hören |
| | das haben Sie nicht gesehn und gehört |
| RICHTER | Wie spielten sich die Verhöre |
| | in der Politischen Abteilung ab |
| ZEUGIN 5 | Boger begann die Vernehmungen |
| | stets sehr ruhig |
| | Er trat nah an den Häftling heran |
| | und stellte die Fragen |
| | die ich zu übersetzen hatte |
| | Wenn der Häftling nicht antwortete |
| | schüttelte Boger ein Schlüsselbund |
| | vor seinem Gesicht |
| | Wenn der Häftling dann immer noch schwieg |
| | schlug er ihm die Schlüssel ins Gesicht |
| | Zum Schluß ging er noch dichter |
| | an ihn heran und sagte |
| | Ich habe eine Maschine |
| | die wird dich zum Sprechen bringen |
| RICHTER | Was war das für eine Maschine |
| ZEUGIN 5 | Boger nannte sie die Sprechmaschine |
| RICHTER | Wo stand die Maschine |
| ZEUGIN 5 | Im Nebenzimmer |
| RICHTER | Haben Sie die Maschine gesehen |
| ZEUGIN 5 | Ja |
| RICHTER | Wie sah die Maschine aus |
| ZEUGIN 5 | Es waren Stangen |
| VERTEIDIGER | Frau Zeugin |
| | täuscht Sie nicht Ihr Gedächtnis |
| ZEUGIN 5 | Es war ein Gestell |
| | Daran wurden sie gehängt |
| | Wir hörten die Schläge und das Schreien |
| | Nach einer Stunde |
| | oder auch nach mehreren Stunden |

wurden sie herausgetragen
Sie waren nicht mehr zu erkennen

RICHTER Lebten sie noch

ZEUGIN 5 Wer danach nicht tot war
konnte die nächsten Stunden kaum überleben
Einmal sah Boger daß ich weinte
Er sagte
Hier müssen Sie Ihre persönlichen Gefühle
ausschließen

RICHTER Aus welchen Gründen wurden die Häftlinge
dieser Bestrafung ausgesetzt

ZEUGIN 5 Manchmal wenn einer ein Stück Brot gestohlen hatte
oder wenn er dem Befehl zur schnelleren Arbeit
nicht gleich nachgekommen war
Oft genügte es auch wenn ein Spitzel
den Betreffenden denunziert hatte
Es gab einen Spitzelbriefkasten
da konnten einfach Zettel eingeworfen werden

ANGEKLAGTER 2 Wegen derartigen Lappalien
wurde ich nie tätig
Wir hatten in der Politischen Abteilung
ausschließlich mit Widerstandshandlungen zu tun

RICHTER Frau Zeugin
wie oft haben Sie gesehn
daß Häftlinge nach dem Herunternehmen
von der Maschine starben

ZEUGIN 5 Mindestens 20 mal

RICHTER In mindestens 20 Fällen können Sie dafür bürgen
daß in Ihrer Gegenwart
der Tod eingetreten ist

ZEUGIN 5 Ja

RICHTER Frau Zeugin
haben Sie den Strafvollzug gesehen

ZEUGIN 5 Ja
Einmal sah ich dort einen Mann hängen
mit dem Kopf nach unten
Ein anderes Mal wurde eine Frau
an die Stange gebunden
Da zwang uns Boger

|              | hereinzusehen |
|:---|:---|
| ANGEKLAGTER 2 | Es entspricht der Wahrheit |
|              | daß die Zeugin bei uns Dolmetscherin war |
|              | Jedoch ist sie nie bei verschärften Vernehmungen |
|              | zugegen gewesen |
|              | Bei solchen Gelegenheiten |
|              | waren überhaupt nie Damen dabei |
| ZEUGIN 5 | Damen |
| ANGEKLAGTER 2 | Das kann ich heute wohl sagen |
|              | *Die Angeklagten lachen* |
| RICHTER | Frau Zeugin |
|              | haben Sie einen der hier anwesenden Angeklagten |
|              | beim Austeilen von Schlägen gesehen |
| ZEUGIN 5 | Ich sah Boger in Hemdsärmeln |
|              | mit dem Schlaginstrument in der Hand |
|              | und ich sah ihn oft blutig herauskommen |
|              | Einmal hörte ich wie Broad zu Lachmann |
|              | einem Mitglied der Politischen Abteilung sagte |
|              | Weißt du Gerhard |
|              | es hat gespritzt wie aus einem Biest |
|              | Dann gab er mir seinen Rock |
|              | daß ich ihn reinigte |
|              | Die Herren waren selbst |
|              | immer auf Sauberkeit bedacht |
|              | Broad bewunderte sich gern im Spiegel |
|              | besonders als er zum Sturmmann avanciert war |
|              | und ich ihm den Gefreitenwinkel |
|              | angenäht hatte |
|              | Bogers Stiefel habe ich einmal putzen müssen |
| RICHTER | Was war da |
| ZEUGIN 5 | Da war draußen ein Lastwagen vorgefahren |
|              | mit einer Fracht von Kindern |
|              | Ich sah es durch das Fenster der Schreibstube |
|              | Ein kleiner Junge sprang herunter |
|              | er hielt einen Apfel in der Hand |
|              | Da kam Boger aus der Tür |
|              | Das Kind stand da mit dem Apfel |
|              | Boger ist zu dem Kind gegangen |
|              | und hat es bei den Füßen gepackt |

und mit dem Kopf an die Baracke geschmettert
Dann hat er den Apfel aufgehoben
und mich geholt und gesagt
Wischen Sie das da ab an der Wand
Und als ich später bei einem Verhör dabei war
sah ich
wie er den Apfel aß

VERTEIDIGER Frau Zeugin
In den Voruntersuchungen ist von diesem Fall
nie die Rede gewesen

ZEUGIN 5 Ich konnte nicht darüber sprechen

VERTEIDIGER Warum nicht

ZEUGIN 5 Es hat persönliche Gründe

VERTEIDIGER Können Sie uns die Gründe nennen

ZEUGIN 5 Ich habe seitdem nie mehr
ein eigenes Kind haben wollen

VERTEIDIGER Warum können Sie jetzt
von dem Fall sprechen

ZEUGIN 5 Jetzt
wo ich ihn wieder sehe
muß ich es sagen

RICHTER Angeklagter Boger
was haben Sie auf diese Beschuldigung
zu erwidern

ANGEKLAGTER 2 Das ist eine Erfindung
mit der die Zeugin schlecht
das Vertrauen lohnt
das ich ihr damals habe zukommen lassen


II


ZEUGE 7 Ich wurde zusammen mit einigen andern Häftlingen
in den Vernehmungsraum
der Politischen Abteilung gebracht

RICHTER Können Sie diesen Raum beschreiben

ZEUGE 7 Auf dem Fußboden lagen kostbare Teppiche
die einem französischen Transport
entnommen worden waren

Bogers Schreibtisch
stand schräg gegenüber der Tür
Er saß auf dem Schreibtisch als ich eintrat
Die Dolmetscherin saß hinter dem Schreibtisch

RICHTER  Wer war sonst noch im Zimmer

ZEUGE 7  Der Chef der Politischen Abteilung
Grabner
und die Angeklagten Dylewski und Broad

RICHTER  Was wurde Ihnen gesagt

ZEUGE 7  Boger sagte
Wir sind die Politische Abteilung
wir fragen nicht wir hören nur zu
Was du zu sagen hast mußt du selbst wissen

RICHTER  Aus welchem Grund waren Sie eingeliefert worden

ZEUGE 7  Das wußte ich nicht
Ich wußte nicht was ich sagen sollte
und bat die Herren mich zu fragen
Da wurde ich bewußtlos geschlagen
Als ich zu mir kam lag ich auf dem Korridor
Boger stand neben mir
Steh auf sagte er
Aber ich konnte nicht aufstehn
Boger trat nach mir
Da richtete ich mich an der Wand auf
Ich sah daß Blut an mir herunterfloß
Der Fußboden und meine Kleider
waren voll von Blut
Mein Kopf war zerschlagen
das Nasenbein gebrochen
Den ganzen Nachmittag bis spät in die Nacht
mußte ich mit dem Gesicht zur Wand stehn
Es standen noch einige andere hier
Wer sich umdrehte
wurde mit dem Kopf an die Wand gestoßen
Am nächsten Tag wurde ich wieder vernommen
Mit den andern Häftlingen
wurde ich in das Zimmer geführt

RICHTER  Was wollte man von Ihnen erfahren

ZEUGE 7  Ich wußte die ganze Zeit nicht

um was es ging
Ich bekam ein paarmal etwas an den Kopf
ich glaube es war eine Metallspirale
dann mußte ich wieder in den Korridor raus
und mein Nebenmann wurde von Boger abgeführt
in das angrenzende Zimmer
Er hieß Walter Windmüller

RICHTER Wissen Sie was mit ihm geschah

ZEUGE 7 Ich schätze
er ist 2 bis 3 Stunden drin gewesen
Ich stand im Korridor
mit dem Gesicht zur Wand
Dann kam Windmüller raus
Er mußte sich neben mir hinstellen
Er blutete aus den Hosenbeinen
und kippte ein paarmal um
Wir haben dort gelernt
mit unbeweglichen Lippen zu sprechen
Als ich ihn nach der Vernehmung fragte
sagte er
Mir sind dort drin die Hoden zerschlagen worden
Er starb noch am selben Tag

RICHTER War Boger für den Tod
dieses Häftlings verantwortlich

ZEUGE 7 Ich bin sicher daß er mindestens
mit unmittelbarem Zutun Bogers
wenn nicht von ihm selbst
erschlagen wurde

RICHTER Angeklagter Boger
haben Sie etwas zu sagen

ANGEKLAGTER 2 Herr Vorsitzender
wenn ich es erklären darf
Dieser Vorgang hat sich nicht so abgespielt

RICHTER Wie war es denn

ANGEKLAGTER 2 Herr Vorsitzender
ich habe niemanden erschlagen
Ich hatte nur meine Vernehmungen durchzuführen

RICHTER Was waren das für Vernehmungen

ANGEKLAGTER 2 Manchmal waren es verschärfte Vernehmungen

|  | die im Rahmen der bestehenden Verordnungen |
|---|---|
|  | praktiziert wurden |
| RICHTER | Wie waren diese Verordnungen begründet |
| ANGEKLAGTER 2 | Im Interesse der Sicherheit des Lagers |
|  | mußte gegen Verräter und andere Schädlinge |
|  | strengstens vorgegangen werden |
| RICHTER | Angeklagter Boger |
|  | war Ihnen als Kriminalkommissar nicht bekannt |
|  | daß ein Mensch |
|  | der einem solchen Verhör unterzogen wird |
|  | alles sagt was man von ihm hören will |
| ANGEKLAGTER 2 | Da bin ich ganz anderer Auffassung |
|  | und zwar mit ausdrücklichem Bezug |
|  | auf unsere Amtsstelle |
|  | Bei der Verstocktheit der Gefangenen |
|  | half nur Gewalt zur Herbeiführung |
|  | von Geständnissen |
| ZEUGE 8 | Als ich in den Vernehmungsraum gerufen wurde |
|  | sah ich auf Bogers Tisch |
|  | einen Teller mit Heringen stehn |
|  | Grabner fragte mich ob ich hungrig sei |
|  | Ich sagte nein |
|  | Aber Grabner sagte |
|  | Ich weiß wann du zuletzt Mittag gegessen hast |
|  | Du wirst heute mein gutes Herz kennen lernen |
|  | Ich werde dir zu essen geben |
|  | Der Boger hat einen Salat für dich gemacht |
|  | Er befahl mir zu essen |
|  | Ich konnte nicht |
|  | denn meine Hände waren mit Handschellen gefesselt |
|  | Da stieß Boger mein Gesicht auf den Teller |
|  | Ich mußte die Heringe in mich hineinschlingen |
|  | Sie waren so versalzen daß ich erbrach |
|  | Ich mußte das Erbrochene und den Rest der Heringe |
|  | aufschlecken |
|  | Zum Schluß hatte ich noch was im Mund stecken |
|  | und Boger rief |
|  | Paßt auf daß er den Rest nicht |
|  | auf dem Korridor ausspuckt |

Dann wurde ich in den Block Elf gebracht
und auf dem Dachboden
an den nach hinten gebundenen Händen
aufgehängt
Das hieß Pfahlhängen
Man hing so hoch
daß die Fußspitzen gerade den Boden berührten
Boger stieß mich hin und her
und trat mir in den Bauch
Vor mir stand ein Eimer mit Wasser
Boger fragte mich ob ich trinken wollte
Er lachte und drehte mich hin und her
Als ich ohnmächtig wurde
übergoß man mich mit dem Wasser
Meine Arme starben ab
Die Gelenke platzten fast
Boger stellte mir Fragen
aber meine Zunge war so angeschwollen
daß ich nicht antworten konnte
Da sagte Boger
Wir haben noch eine andere Schaukel für dich
Ich wurde
zur Politischen Abteilung zurückgebracht

VERTEIDIGER Herr Zeuge
wurden Sie einer Behandlung auf dieser Maschine
unterzogen

ZEUGE 8 Ja

VERTEIDIGER Es war also doch möglich
dies zu überleben


III

ZEUGE 8 Ich erinnere mich an einen Morgen
im Frühjahr 1942
Da marschierte ein Zug Polizeihäftlinge
nach vorn zur Baracke des früheren Postkontors
in dem die Politische Abteilung
eingerichtet worden war
Vorn gingen Häftlinge

und trugen zwei Holzgestelle
ähnlich den Seitenstücken einer Hürde
Ihnen folgten Posten mit Maschinenpistolen
sowie die Herren der Abteilung
mit Aktenmappen und getrockneten
besonders präparierten Bullenschläuchen
wie sie zur Prügelstrafe verwendet wurden
Diese Hürden
bildeten das Traggerüst der Schaukel

RICHTER  Wurde die Maschine damals
zum ersten Mal benutzt

ZEUGE 8  Sie bestand schon vorher
in einer einfacheren Form
Anfangs wurde nur ein Eisenrohr
über 2 Tische gelegt
und der Häftling daran festgeschnallt
Da das Rohr während der Schläge
hin- und herrollte
wurde das Traggestell
zur Stabilisierung angefertigt

VERTEIDIGER  Herr Zeuge
woher haben Sie diese Kenntnisse

ZEUGE 8  Es gab keinen Vorgang in unserm Lagerabschnitt
der uns unbekannt blieb
Im alten Lager spielte sich alles
auf engstem Raum ab
Das Geviert des Lagers war nicht größer
als 200 mal 300 Meter
Von jedem der 28 Blocks aus
war das gesamte Lager zu überblicken

RICHTER  Aus welchem Grund
wurden Sie zum Verhör geholt

ZEUGE 8  Ich war eingesetzt worden beim Bau
der Entwässerungsanlage
die sich rings um die Außenlager zog
Dabei hatte ich einem Mithäftling geholfen
seine Mutter zu treffen
die im Frauenlager gefangen war
Der Häftling hieß Janicki

Er wurde zuerst in den Untersuchungsraum geführt
Anschließend wurde er auf den Korridor geworfen
Er lebte noch
Er öffnete den Mund
und streckte die Zunge weit heraus
Er leckte den Fußboden vor Durst
Boger kam auf ihn zu und drehte ihm
mit dem Stiefel den Kopf auf die andere Seite
Dann sagte er zu mir
Jetzt kommst du dran
Wenn du nicht die Wahrheit sagst
geschieht dir das gleiche
Dann wurde ich auf die Schaukel gespannt

RICHTER  Herr Zeuge
Beschreiben Sie diesen Vorgang

ZEUGE 8  Der Häftling hatte sich
mit angezogenen Knien auf den Boden zu setzen
seine Hände wurden ihm vorn gefesselt
und über die Knie herabgedrückt
Die Stange wurde geholt
und zwischen seine Unterarme
und Kniekehlen geschoben
Dann wurde die Stange hochgehoben
und auf das Gestell gelegt

RICHTER  Wer führte die Vorbereitungen aus

ZEUGE 8  Zwei Funktionshäftlinge

RICHTER  Wer befand sich noch in dem Zimmer

ZEUGE 8  Ich sah dort Boger
Broad und Dylewski
Boger stellte Fragen
aber ich konnte nicht antworten
Ich hing mit dem Kopf nach unten
und die beiden Funktionshäftlinge
schaukelten mich hin und her

VERTEIDIGER  Was für Fragen wurden gestellt

ZEUGE 8  Fragen nach weiteren Namen

RICHTER  Wurden Sie dabei geschlagen

ZEUGE 8  Boger und Dylewski schlugen mich
abwechselnd mit dem Ochsenziemer

| | |
|---|---|
| VERTEIDIGER | Waren es nicht die Funktionshäftlinge |
| | die schlugen |
| ZEUGE 8 | Ich sah Boger und Dylewski |
| | mit den Schläuchen in der Hand |
| RICHTER | Wohin schlugen sie |
| ZEUGE 8 | Auf das Gesäß |
| | den Rücken die Schenkel |
| | die Hände und Füße |
| | und den Hinterkopf |
| | Vor allem aber waren die Geschlechtsteile |
| | den Schlägen ausgesetzt |
| | Sie zielten besonders darauf |
| | Dreimal wurde ich ohnmächtig |
| | und man übergoß mich mit Wasser |
| RICHTER | Angeklagter Boger |
| | Geben Sie zu |
| | daß Sie diesen Zeugen mißhandelt haben |
| ANGEKLAGTER 2 | Darauf gibt es nur ein klares |
| | und bestimmtes Nein |
| ZEUGE 8 | Bis heute habe ich Spuren davon |
| ANGEKLAGTER 2 | Aber nicht von mir |
| RICHTER | Angeklagter Boger |
| | Haben Sie Behandlungen an dem |
| | hier geschilderten Instrument |
| | vollzogen |
| ANGEKLAGTER 2 | In gewissen Fällen |
| | hatte ich sie anzuordnen |
| | Ausgeführt wurde die Strafe |
| | von den Funktionshäftlingen |
| | unter meiner Aufsicht |
| RICHTER | Angeklagter Boger |
| | halten Sie die Darstellung des Zeugen |
| | für lügenhaft |
| ANGEKLAGTER 2 | Die Darstellung ist lückenhaft |
| | und nicht in allen Teilen |
| | der Wahrheit entsprechend |
| RICHTER | Wie war die Wahrheit |
| ANGEKLAGTER 2 | Wenn der Häftling gestanden hatte |
| | wurde die Bestrafung sofort eingestellt |

RICHTER   Und wenn der Häftling nicht gestand

ANGEKLAGTER 2   Dann wurde geschlagen bis Blut kam
Da war Schluß

RICHTER   War ein Arzt anwesend

ANGEKLAGTER 2   Ich habe nie einen Befehl gesehn
der von der Hinzuziehung eines Arztes sprach
Dies war auch unnötig
denn im Augenblick in dem das Blut strömte
brach ich ab
Der Zweck der verschärften Vernehmung
war erreicht
wenn das Blut durch die Hosen lief

RICHTER   Sie sahen sich berechtigt
die verschärften Vernehmungen durchzuführen

ANGEKLAGTER 2   Sie unterlagen meiner befehlsbestimmten
Verantwortung
Im übrigen bin ich der Meinung
daß auch heute noch
die Prügelstrafe angebracht wäre
zum Beispiel im Jugendstrafrecht
um Herr zu werden über manche Fälle
von Verrohung

VERTEIDIGER   Herr Zeuge
Es wurde berichtet
daß niemand die Behandlung auf der Schaukel
überstehen konnte
Allem Anschein nach
war diese Behauptung übertrieben

ZEUGE 8   Als ich von der Schaukel genommen wurde
sagte Boger zu mir
Jetzt haben wir dich
zur fröhlichen Himmelfahrt vorbereitet
Ich wurde in eine Zelle des Blocks Elf gebracht
Dort erwartete ich stündlich
meine Erschießung
Ich weiß nicht
wieviele Tage ich dort verbrachte
Mein Gesäß war vereitert
Meine Hoden waren grün und blau

und riesig angeschwollen
Die meiste Zeit lag ich bewußtlos.
Dann wurde ich zusammen mit einer größeren Gruppe
hinaufgeführt in den Waschraum
Wir mußten uns ausziehn
und unsere Nummern wurden uns mit Blaustift
auf die Brust geschrieben
Ich wußte daß dies
das Todesurteil war
Als wir nackt in einer Reihe standen
kam der Rapportführer und fragte
wieviele Häftlinge er als erschossen
abbuchen sollte
Als er gegangen war wurden wir nochmals
nachgezählt
Da zeigte es sich daß einer zuviel war
Ich hatte gelernt
mich immer als Letzter anzustellen
so erhielt ich einen Tritt
und bekam meine Kleider zurück
Ich hätte zur Zelle zurückgeführt werden sollen
um dort auf die nächste Bunkerleerung zu warten
aber ein Häftlingspfleger
nahm mich zum Krankenbau mit
Es kam eben vor
daß einer überleben sollte
und zu diesen wenigen
gehörte ich

# 4 Gesang von der Möglichkeit des Überlebens

I

ZEUGE 3 Die Atmosphäre im Lager änderte sich
von Tag zu Tag
Sie war abhängig vom Lagerführer
vom Rapportführer
vom Blockführer und deren Launen
und sie war abhängig
von den Phasen des Krieges
Anfangs als es noch Siege gab
konnten wir derb und überheblich angerempelt
und unter Späßen gezüchtigt werden
Im Takt der Rückzüge und Niederlagen
wuchs die Effektivität der Aktionen an
Doch nichts ließ sich voraussehen
Ein Antreten konnte alles bedeuten
ein Warten auf Nichts
oder eine Schinderei
Bei uns im Krankenbau konnten Häftlinge
gesund gepflegt werden und sogar
Schonkost erhalten
nur um nach ihrer Genesung
durch den Schornstein geschickt zu werden
Ein Häftlingspfleger wurde
vom Lagerarzt geprügelt
weil er in einem Krankenbericht
eine Kleinigkeit vergessen hatte
und da war der Patient schon getötet worden
Ich selbst
war nur durch Zufall
der Vergasung entgangen
weil die Öfen an diesem Abend verstopft waren
Beim Rückweg vom Krematorium erfuhr
der begleitende Arzt
daß ich Mediziner war
und er nahm mich in seiner Abteilung auf
RICHTER Wie hieß der Arzt

ZEUGE 3    Er hieß Dr. Vetter
           Er war ein Mann von vollendeten Umgangsformen
           Auch Dr. Schatz und Dr. Frank
           waren stets freundlich zu den Häftlingen
           die sie dem Tod überantworteten
           Sie töteten nicht aus Haß und nicht aus Überzeugung
           sie töteten nur weil sie töten mußten
           und dies war nicht der Rede wert
           Nur wenige töteten aus Leidenschaft
           Zu diesen gehörte Boger
           Ich habe Häftlinge gesehn
           als sie zu Boger gerufen wurden
           und ich habe sie gesehn
           als sie wiederkamen
           Und als sie zur Erschießung geholt wurden
           habe ich Boger mit Stolz sagen hören
           Diese Leute sind von mir
           Einmal wurde ein angeschossener Häftling
           ins Krankenrevier eingeliefert
           mit Bogers Befehl
           Der muß gerettet werden
           damit man ihn aufhängen kann
           Der Häftling starb aber schon vorher
RICHTER    Angeklagter Boger
           Ist Ihnen dieser Fall bekannt
ANGEKLAGTER 2    Auf der Flucht angeschossene Häftlinge
           wurden grundsätzlich ins Krankenrevier gebracht
           damit sie nach ihrer Wiederherstellung
           vernommen werden konnten
           Insoweit dürften die Angaben des Zeugen
           durchaus richtig sein
           Ich habe in diesem Fall die Anweisung weitergegeben
           daß der Häftling am Leben zu erhalten sei
           Ich habe gesagt
           Er muß gerettet werden
           damit er vernommen werden kann
RICHTER    Sollte er dann gehängt werden
ANGEKLAGTER 2    Das ist möglich
           Aber das lag außerhalb meiner Zuständigkeit

74

ZEUGE 6 Boger und Kaduk
führten eigenhändig Erhängungen aus
Einmal sollten 12 Häftlinge
als Repressalie für die Flucht eines Gefangenen
hingerichtet werden
Boger und Kaduk
legten ihnen die Schlinge über den Kopf

VERTEIDIGER Herr Zeuge
woher wissen Sie das

ZEUGE 6 Wir standen auf dem Appellplatz
und mußten zusehn
Die Häftlinge schrien irgend etwas
Boger und Kaduk waren außer sich vor Wut
Sie traten sie mit ihren Stiefeln
und ohrfeigten sie
dann hängten sie sich an die Füße der Häftlinge
und zogen sie ruckweise nach unten

ANGEKLAGTER 2 Mir ist von diesem Vorfall erinnerlich
daß sich einer der Delinquenten
aus den Fesseln befreite
als er weisungsgemäß
unter verschärften Sicherheitsmaßnahmen
zur Exekution geführt wurde
Der Betreffende warf sich auf mich
und brach mir dabei eine Rippe
Der Mann wurde dann überwältigt
Die Fesselung wurde wieder vollzogen
und ich habe das Urteil verlesen

RICHTER Herr Zeuge
hörten Sie die Verlesung eines Urteils

ZEUGE 6 Es wurde kein Urteil verlesen

ANGEKLAGTER 2 Die Verlesung war wohl schwer zu verstehen
weil die Häftlinge brüllten

ANKLÄGER Was brüllten die Häftlinge

ANGEKLAGTER 2 Sie ließen politische Agitationen verlauten

ANKLÄGER Welcher Art

ANGEKLAGTER 2 Sie hetzten die Häftlinge gegen uns auf

VERTEIDIGER Wie verhielten sich die zusehenden Häftlinge

ANGEKLAGTER 2 Es waren dort keine Zwischenfälle zu beachten

Das Urteil wurde vollstreckt
wie alle Urteile vollstreckt wurden
Ich selbst habe die Hinrichtung nicht vollzogen
Das haben Häftlingskapos getan

VERTEIDIGER Herr Zeuge
kann Ihnen die Verlesung des Urteils
nicht entgangen sein

ZEUGE 6 Die Hinrichtung fand unmittelbar
nach der Flucht statt
Die Zeit war zu kurz
als daß von einer Zentralstelle
der Fall analysiert und ein Urteil
gesprochen werden konnte

RICHTER War der Kommandant des Lagers zugegen
oder sein Adjutant

ZEUGE 6 Bei öffentlichen Hinrichtungen
waren immer höhere Offiziere anwesend
Sie trugen weiße Handschuhe
zu diesem Anlaß
Ob der Adjutant in diesem Fall dabei war
kann ich nicht mit Bestimmtheit sagen
Jedoch ist es anzunehmen
da er für die Ausführung aller Befehle
innerhalb des Kommandanturbereichs
verantwortlich war

RICHTER Herr Zeuge
Erkennen Sie den Adjutanten des Lagers
zwischen den Angeklagten wieder

ZEUGE 6 Dies ist Mulka

RICHTER Angeklagter Mulka
Haben Sie dieser Erhängung
oder irgendeiner anderen Erhängung
beigewohnt

ANGEKLAGTER I Ich habe mit keiner Tötung
gleich welcher Art
irgend etwas zu tun gehabt

RICHTER Haben Sie von diesbezüglichen Befehlen gehört
oder dieselben weitergegeben

ANGEKLAGTER I Ich habe wohl von solchen Befehlen gehört

76

selbst aber habe ich sie nicht weitergegeben

RICHTER Wie verhielten Sie sich gegenüber solchen Befehlen

ANGEKLAGTER 1 Ich habe mich gehütet
höherenorts Fragen vorzubringen
nach der Rechtmäßigkeit
mir zu Ohren gekommener Gefangenentötung
Schließlich hatte ich die Verantwortung
für meine Familie
und für mich selber zu tragen

ANKLÄGER Angeklagter Mulka
haben Sie den Galgen gesehn

ANGEKLAGTER 1 Wie bitte

ANKLÄGER Ob Sie den Galgen gesehen haben

ANGEKLAGTER 1 Nein
Ich habe meinen Fuß nie in das Lager gesetzt

ANKLÄGER Sie wollen behaupten
daß Sie als Adjutant des Kommandanten
nie im Lager gewesen sind

ANGEKLAGTER 1 Das ist die reine Wahrheit
Meine Arbeit war ausschließlich
administrativer Art
Ich hielt mich nur in den Amtsräumen
der Verwaltung auf

ANKLÄGER Wo befanden sich diese Amtsräume

ANGEKLAGTER 1 In den Kasernengebäuden
außerhalb des Lagerbezirks

ANKLÄGER Bestand von dort keine Einsicht
in das Lager

ANGEKLAGTER 1 Nicht daß ich wüßte

ANKLÄGER Herr Zeuge
können Sie uns die Lage der Außengebäude
im Verhältnis zum Straflager schildern

ZEUGE 6 Von allen rückwärtigen Fenstern
der Verwaltungsgebäude
war das Lager einzusehen
Unmittelbar hinter ihnen erhoben sich
die Betonpfeiler mit dem elektrisch geladenen
Stacheldraht
10 Meter davon entfernt lag der erste Block

Unmittelbar dahinter lagen die weiteren Blocks
in 3 Reihen
höchstens 10 Meter voneinander getrennt
Die Sicht auf die Längsstraßen war unbehindert

ANKLÄGER Wo befand sich der Galgen
ZEUGE 6 Auf dem Platz vor der Lagerküche
Gleich rechts
wenn man vom Eingangstor
zum Hauptweg gekommen war

ANKLÄGER Wie sah der Galgen aus
ZEUGE 6 Es waren 3 Pfähle
mit einer Eisenschiene darüber

ANKLÄGER Angeklagter Mulka
Sie wohnten in unmittelbarer Nähe des Lagers
In der Lagerordnung heißt es
daß Sie den Kommandanten über alle Vorkommniss
zu unterrichten und alle geheimen
Verschlußsachen zu bearbeiten
sowie die Wachmannschaften weltanschaulich
zu schulen hatten
Waren Ihnen in dieser Stellung
nicht die im Lager auszuführenden
Bestrafungen bekannt

ANGEKLAGTER I Ich habe nur einmal irgendein
abgezeichnetes rückläufiges Schreiben gesehen
zur Genehmigung der Prügelstrafe

ANKLÄGER Hatten Sie nie die Gründe
der Erhängungen und Erschießungen
zu untersuchen

ANGEKLAGTER I Es war nicht meine Aufgabe
mich darum zu kümmern

ANKLÄGER Was hatten Sie denn
als Adjutant des Lagerkommandanten
für Aufgaben

ANGEKLAGTER I Ich habe Preise kalkuliert
Arbeitskräfte eingeteilt
und Personalien bearbeitet
Außerdem hatte ich den Kommandanten
zu Empfängen zu begleiten

|              | und die Ehrenkompanie zu führen |
| ANKLÄGER     | Wann kam das vor |
| ANGEKLAGTER I | Bei festlichen Anlässen |
|              | oder bei Beerdigungen |
|              | Da wurde eine Trauerparade abgehalten |
| ANKLÄGER     | Bei wessen Beerdigung |
| ANGEKLAGTER I | Beim Ableben irgendeines Offiziers |
| ANKLÄGER     | Wem wurden die Todesfälle |
|              | zwischen den Häftlingen gemeldet |
| ANGEKLAGTER I | Das weiß ich nicht |
|              | Vielleicht der Politischen Abteilung |
| ANKLÄGER     | Erfuhren Sie nichts davon |
|              | daß täglich 100 oder 200 |
|              | Häftlinge starben |
| ANGEKLAGTER I | Ich kann mich nicht erinnern |
|              | fortlaufende Stärkemeldungen |
|              | gesehen zu haben |
|              | Am Tag gab es so 10 bis 15 Abgänge |
|              | aber Zahlen von der Größe |
|              | wie sie hier genannt werden |
|              | habe ich damals nicht gehört |
| ANKLÄGER     | Angeklagter Mulka |
|              | wußten Sie nicht von den Massentötungen |
|              | in den Gaskammern |
| ANGEKLAGTER I | Davon war mir nichts bekannt |
| ANKLÄGER     | Ist Ihnen nicht der Rauch |
|              | aus den Schornsteinen der Krematorien |
|              | aufgefallen |
|              | der doch kilometerweit zu sehen war |
| ANGEKLAGTER I | Es war ja ein großes Lager |
|              | mit einem natürlichen Abgang |
|              | Da wurden eben die Toten verbrannt |
| ANKLÄGER     | Ist Ihnen der Zustand der Häftlinge |
|              | nicht aufgefallen |
| ANGEKLAGTER I | Es war ein Straflager |
|              | Da waren die Leute nicht zur Erholung |
| ANKLÄGER     | Hatten Sie als Adjutant des Lagerkommandanten |
|              | kein Interesse daran zu erfahren |
|              | wie die Häftlinge untergebracht waren |

| | |
|---|---|
| ANGEKLAGTER I | Ich habe darüber keine Klagen gehört |
| ANKLÄGER | Sprachen Sie mit dem Kommandanten |
| | nie über die Vorkommnisse im Lager |
| ANGEKLAGTER I | Nein |
| | Es gab keine besonderen Vorkommnisse |
| ANKLÄGER | Wozu diente Ihrer Ansicht nach das Lager |
| ANGEKLAGTER I | In einem Schutzhaftlager |
| | sollten Staatsfeinde |
| | zu einer anderen Denkungsweise |
| | erzogen werden |
| | Es war nicht meine Aufgabe |
| | dies in Frage zu stellen |
| ANKLÄGER | Wußten Sie |
| | was die Bezeichnung Sonderbehandlung |
| | bedeutete |
| ANGEKLAGTER I | Das war eine geheime Reichssache |
| | Ich konnte davon nichts wissen |
| | Wer darüber etwas äußerte |
| | war mit dem Tod bedroht |
| ANKLÄGER | Sie wußten aber doch davon |
| ANGEKLAGTER I | Darauf kann ich keine Antwort geben |
| ANKLÄGER | Auf welche Weise |
| | betreuten Sie die Truppen |
| ANGEKLAGTER I | Da gab es Theater und Kino |
| | und Bunte Abende |
| | Das war ein Herr Knittel der das machte |
| | Der hielt auch die Schulungsabende |
| | für die Offiziere |
| ANKLÄGER | Wie konnte der das denn |
| ANGEKLAGTER I | Er war ein Studienrat |
| | und wenn ich recht unterrichtet bin |
| | ist er zur Zeit Studiendirektor irgendwo |
| | und für seine Lehrtätigkeit offensichtlich |
| | wohl geeignet |
| ANKLÄGER | Und weltanschaulich |
| | unterwiesen Sie die Mannschaften |
| VERTEIDIGER | Wir weisen unseren Mandanten darauf hin |
| | daß er auf die Fragen der Nebenkläger |
| | nicht zu antworten braucht |

80

ANKLÄGER  Die Entscheidung hierüber
liegt einzig und allein
bei den Angeklagten selbst
Die Verteidigung überschreitet mit diesem Eingriff
bei weitem die einer Verteidigung
durch das Gesetz eingeräumten Befugnisse
Es ist offensichtlich
daß die Verteidigung durch diese Taktik versucht
die Aufklärung der Wahrheit zu verhindern

VERTEIDIGER  Gegen diese erstaunlichen Ausführungen
müssen wir uns ganz entschieden wenden
Es wird hier gezeigt
daß die Ankläger die Strafprozeßordnung
nicht beherrschen
und sich in der Gesetzgebung nicht auskennen
Die Ankläger sind mit einer vorgefaßten Meinung
in diesen Prozeß gegangen
*Die Angeklagten lachen zustimmend*

## II

ZEUGE 3  Die Machtfülle eines jeden im Lagerpersonal
war unbegrenzt
Es stand jedem frei zu töten
oder zu begnadigen
Den Arzt Dr. Flage
sah ich mit Tränen in den Augen am Zaun stehn
hinter dem ein Zug Kinder
zu den Krematorien geführt wurde
Er duldete es
daß ich die Krankenkarten einzelner
schon ausgesonderter Häftlinge
an mich nahm
und sie so vor dem Tod bewahren konnte
Der Lagerarzt Flage zeigte mir
daß es möglich war
zwischen den Tausenden
noch ein einzelnes Leben zu sehn

er zeigte mir
daß es möglich gewesen wäre
auf die Maschinerie einzuwirken
wenn es mehr gegeben hätte
von seiner Art

VERTEIDIGER Herr Zeuge
hatten Sie als Häftlingsarzt
Einfluß auf Leben und Tod
der bei Ihnen eingelieferten Kranken

ZEUGE 3 Ich konnte hier und da
ein Leben retten

VERTEIDIGER Mußten Sie andererseits auch Kranke
zur Tötung aussondern

ZEUGE 3 Auf die angeforderte Schlußzahl
hatte ich keinen Einfluß
Sie wurde von der Lagerverwaltung bestimmt
Jedoch hatte ich die Möglichkeit
die Listen zu bearbeiten

VERTEIDIGER Nach welchen Grundsätzen unterschieden Sie
wenn Sie zwischen zwei Kranken
zu wählen hatten

ZEUGE 3 Wir hatten uns zu fragen
wer der Prognose nach
die größere Chance hatte
die Krankheit zu überstehen
Und dann die viel schwierigere Frage
Wer könnte wertvoller und nützlicher sein
für die internen Angelegenheiten der Häftlinge

VERTEIDIGER Gab es besonders Bevorzugte

ZEUGE 3 Natürlich hielten die politischen Aktiven
untereinander zusammen
stützten und halfen einander
soweit sie konnten
Da ich der Widerstandsbewegung
im Lager angehörte
war es selbstverständlich
daß ich alles tat
um vor allem die Kameraden
am Leben zu erhalten

| | |
|---|---|
| VERTEIDIGER | Was konnte die Widerstandsbewegung |
| | im Lager leisten |
| ZEUGE 3 | Die Hauptaufgabe des Widerstands |
| | bestand darin |
| | eine Solidarität aufrecht zu erhalten |
| | Sodann dokumentierten wir |
| | die Ereignisse im Lager |
| | und vergruben unsere Beweisstücke |
| | in Blechbüchsen |
| VERTEIDIGER | Hatten Sie Kontakt mit Partisanengruppen |
| | oder andere Verbindungen zur Außenwelt |
| ZEUGE 3 | Die in den Industrien arbeitenden Häftlinge |
| | konnten hin und wieder Beziehungen |
| | zu Partisanengruppen aufnehmen |
| | und sie erhielten Meldungen über die Lage |
| | auf den Kriegsschauplätzen |
| VERTEIDIGER | Wurden Vorbereitungen |
| | zu einem bewaffneten Aufruhr getroffen |
| ZEUGE 3 | Es gelang später |
| | Sprengstoff einzuschmuggeln |
| VERTEIDIGER | Wurde das Lager jemals von innen |
| | oder von außen angegriffen |
| ZEUGE 3 | Außer einem mißglückten Aufstand |
| | des Sonderkommandos der Krematorien |
| | im letzten Kriegswinter |
| | kam es zu keinen aktiven Handlungen |
| | Auch von außen her wurden keine |
| | solchen Versuche unternommen |
| VERTEIDIGER | Haben Sie durch Ihre Verbindungsleute |
| | Hilfe angefordert |
| ZEUGE 3 | Es wurden immer wieder Nachrichten |
| | über die Zustände im Lager abgegeben |
| VERTEIDIGER | Was für Resultate erhofften Sie |
| | auf diese Nachrichten hin |
| ZEUGE 3 | Wir hofften auf einen Angriff aus der Luft |
| | auf die Gaskammern |
| | oder auf eine Bombardierung der Zufahrtsstrecken |
| VERTEIDIGER | Herr Zeuge |
| | Woher nahmen Sie Ihren Widerstandswillen |

nachdem Sie sahen
daß Sie von jeglicher militärischer Hilfe
im Stich gelassen wurden

ZEUGE 3 In Anbetracht der Lage
war es Widerstand genug
wachsam zu bleiben
und nie den Gedanken aufzugeben
daß eine Zeit kommen würde
in der wir unsere Erfahrungen
aussprechen könnten

VERTEIDIGER Herr Zeuge
Wie verhielten Sie sich dem Eid gegenüber
den Sie als Arzt geschworen hatten

ANKLÄGER Wir protestieren gegen diese Frage
mit der die Verteidigung den Zeugen
mit den Angeklagten gleichzustellen versucht
Die Angeklagten töteten aus freiem Willen
Der Zeuge mußte notgedrungen
der Tötung beiwohnen

ZEUGE 3 Ich möchte folgendes antworten
Diejenigen unter den Häftlingen
die durch ihre Sonderstellung
einen Aufschub des eigenen Todes
erreicht hatten
waren den Beherrschern des Lagers
schon einen Schritt entgegen gegangen
Um sich die Möglichkeit des Überlebens
zu erhalten
waren sie gezwungen
einen Anschein von Zusammenarbeit zu wecken
Ich sah es deutlich in meinem Revier
Bald war ich den Lagerärzten nicht nur
in der Kollegialität des gemeinsamen Berufs
verbunden
sondern auch in meiner Teilnahme
an den Machenschaften des Systems
Auch wir Häftlinge
vom Prominenten
bis hinab zum Sterbenden

gehörten dem System an
Der Unterschied zwischen uns
und dem Lagerpersonal war geringer
als unsere Verschiedenheit von denen
die draußen waren

VERTEIDIGER Herr Zeuge
wollen Sie damit sagen
daß es ein Verständnis gab
zwischen der Verwaltung und dem Häftling

ZEUGE 3 Wenn wir mit Menschen
die nicht im Lager gewesen sind
heute über unsere Erfahrungen sprechen
ergibt sich für diese Menschen
immer etwas Unvorstellbares
Und doch sind es die gleichen Menschen
wie sie dort Häftling und Bewacher waren
Indem wir in solch großer Anzahl
in das Lager kamen
und indem uns andere in großer Anzahl
dorthin brachten
müßte der Vorgang auch heute noch
begreifbar sein
Viele von denen die dazu bestimmt wurden
Häftlinge darzustellen
waren aufgewachsen unter den selben Begriffen
wie diejenigen
die in die Rolle der Bewacher gerieten
Sie hatten sich eingesetzt für die gleiche Nation
und für den gleichen Aufschwung und Gewinn
und wären sie nicht zum Häftling ernannt worden
hätten auch sie einen Bewacher abgeben können
Wir müssen die erhabene Haltung fallen lassen
daß uns diese Lagerwelt unverständlich ist
Wir kannten alle die Gesellschaft
aus der das Regime hervorgegangen war
das solche Lager erzeugen konnte
Die Ordnung die hier galt
war uns in ihrer Anlage vertraut
deshalb konnten wir uns auch noch zurechtfinden

in ihrer letzten Konsequenz
in der der Ausbeutende in bisher unbekanntem Grad
seine Herrschaft entwickeln durfte
und der Ausgebeutete
noch sein eigenes Knochenmehl
liefern mußte

VERTEIDIGER Diese Art von Theorien
in denen ein schiefes ideologisches Bild
gezeichnet wird
lehnen wir auf das bestimmteste ab

ZEUGE 3 Die meisten die auf der Rampe ankamen
fanden allerdings nicht mehr die Zeit
sich ihre Lage zu erklären
Verstört und stumm
gingen sie den letzten Weg
und ließen sich töten
weil sie nichts verstanden
Wir nennen sie Helden
doch ihr Tod war sinnlos
Wir sehen sie vor uns
diese Millionen
im Scheinwerferlicht
unter Schimpf und Hundegekläff
und die Außenwelt fragt heute
wie es möglich war
daß sie sich so vernichten ließen
Wir
die noch mit diesen Bildern leben
wissen
daß Millionen wieder so warten können
angesichts ihrer Zerstörung
und daß diese Zerstörung an Effektivität
die alten Einrichtungen um das Vielfache
übertrifft

VERTEIDIGER Herr Zeuge
waren Sie schon vor Ihrer Einlieferung
in das Lager
politisch tätig gewesen

ZEUGE 3 Ja

Es war unsere Stärke
daß wir wußten
warum wir hier waren
Das half uns
unsere Identität zu bewahren
Doch auch diese Stärke
reichte nur bei den Wenigsten
bis zum Tod
Auch diese konnten zerbrochen werden

ZEUGE 7 Wir waren 1200 Häftlinge
die zu den Krematorien geführt wurden
Wir mußten lange warten
denn ein anderer Transport war vor uns
Ich hielt mich etwas abseits
Da kam ein Häftling vorbei
es war ein ganz junger Mensch
Er flüsterte mir zu
Geh fort von hier
Da nahm ich meine Holzschuhe und ging weg
Ich bin um eine Ecke gegangen
Da stand ein anderer
der fragte
Wo willst du hin
Ich sagte
Die haben mich weggeschickt
Dann komm mit sagte der
So kam ich zurück ins Lager

VERTEIDIGER War das so einfach
Nur weggehen konnte man

ZEUGE 7 Ich weiß nicht wie es für andere war
Ich bin weggegangen
und kam in den Krankenbau
Da fragte mich der Häftlingsarzt
Willst du leben
Ich sagte Ja
Er sah mich eine Weile an
dann nahm er mich bei sich auf

VERTEIDIGER Und dann haben Sie die Zeit im Lager
überstanden

ZEUGE 7    Ich kam aus dem Lager heraus
           aber das Lager besteht weiter


## III


RICHTER     Frau Zeugin
            Sie verbrachten einige Monate
            im Frauenblock Nummer Zehn
            in dem medizinische Experimente
            vorgenommen wurden
            Was können Sie uns darüber berichten
ZEUGIN 4    *schweigt*
RICHTER     Frau Zeugin
            es ist uns verständlich
            daß Ihnen die Aussage schwerfällt
            und daß Sie lieber schweigen möchten
            Doch bitten wir Sie
            Ihr Gedächtnis nach allem zu erforschen
            was Licht wirft auf die Vorkommnisse
            die hier zur Behandlung stehen
ZEUGIN 4    Wir waren dort etwa 600 Frauen
            Professor Clauberg leitete die Untersuchungen
            Die übrigen Ärzte des Lagers
            erstellten das Menschenmaterial
RICHTER     Wie gingen die Versuche vor sich
ZEUGIN 4    *schweigt*
VERTEIDIGER Frau Zeugin
            leiden Sie an Gedächtnisstörungen
ZEUGIN 4    Ich bin seit dem Aufenthalt im Lager
            krank
VERTEIDIGER Wie äußert sich Ihre Krankheit
ZEUGIN 4    Schwindelanfälle und Übelkeit
            Kürzlich in der Toilette mußte ich erbrechen
            da roch es nach Chlor
            Chlor wurde über die Leichen geschüttet
            Ich kann mich nicht in verschlossenen
            Räumen aufhalten
VERTEIDIGER Keine Gedächtnisschwächen

| | |
|---|---|
| ZEUGIN 4 | Ich möchte vergessen |
| | aber ich sehe es immer wieder vor mir |
| | Ich möchte die Nummer an meinem Arm |
| | entfernen lassen |
| | Im Sommer |
| | wenn ich ärmellose Kleider trage |
| | starren die Leute darauf |
| | und da ist immer der selbe Ausdruck |
| | in ihrem Blick |
| VERTEIDIGER | Was für ein Ausdruck |
| ZEUGIN 4 | Von Hohn |
| VERTEIDIGER | Frau Zeugin |
| | fühlen Sie sich immer noch verfolgt |
| ZEUGIN 4 | *schweigt* |
| RICHTER | Frau Zeugin |
| | an was für Versuche erinnern Sie sich |
| ZEUGIN 4 | Da waren Mädchen |
| | im Alter von 17 bis 18 Jahren |
| | Sie waren zwischen den gesundesten Häftlingen |
| | ausgesucht worden |
| | An ihnen wurden Experimente |
| | mit Röntgenstrahlen durchgeführt |
| RICHTER | Was waren das für Experimente |
| ZEUGIN 4 | Die Mädchen wurden |
| | vor den Röntgenapparat gestellt |
| | Je eine Platte wurde an ihrem Bauch |
| | und an ihrem Gesäß befestigt |
| | Die Strahlen wurden auf den Eierstock gerichtet |
| | der so verbrannt wurde |
| | Dabei entstanden am Bauch und am Gesäß |
| | schwere Brandwunden und Geschwüre |
| RICHTER | Was geschah mit den Mädchen |
| ZEUGIN 4 | Innerhalb von 3 Monaten |
| | wurden mehrere Operationen |
| | an ihnen vorgenommen |
| RICHTER | Was waren das für Operationen |
| ZEUGIN 4 | Die Eierstöcke und die Geschlechtsdrüsen |
| | wurden ihnen entfernt |
| RICHTER | Starben die Patientinnen |

89

ZEUGIN 4  Wenn sie nicht im Verlauf der Behandlung starben
so starben sie bald danach
Nach ein paar Wochen hatten sich die Mädchen
völlig verändert
Sie erhielten das Aussehen von Greisinnen

RICHTER  Frau Zeugin
War einer der hier anwesenden Angeklagten
an den Operationen beteiligt

ZEUGIN 4  Alle Ärzte begegneten einander täglich
in ihren Quartieren
Es ist anzunehmen daß sie zumindest
über die Vorgänge unterrichtet waren

VERTEIDIGER  Wir wenden uns mit äußerstem Nachdruck
gegen derartige Behauptungen
Die Tatsache daß sich unsere Mandanten
in der Nähe der hier erwähnten Vorkommnisse
aufhielten
braucht sie noch keineswegs
zu Mitwissern zu machen

RICHTER  Frau Zeugin
Was für Eingriffe wurden sonst noch vorgenommen

ZEUGIN 4  *schweigt*

VERTEIDIGER  Wir sind der Ansicht
daß die Zeugin auf Grund ihres Gesundheitszustandes
nicht in der Lage ist
dem Gericht glaubwürdige Antworten zu geben

ANKLÄGER  Frau Zeugin
Können Sie dem Gericht andere Versuche schildern
bei denen Sie zugegen gewesen sind

ZEUGIN 4  Mit einer Spritze
auf die zur Verlängerung
eine Kanüle aufgesetzt worden war
wurde eine Flüssigkeit
in die Gebärmutter gedrückt

RICHTER  Was war das für eine Flüssigkeit

ZEUGIN 4  Es war eine zementartige Masse
die einen brennenden wehenartigen Schmerz erzeugte
und eine Empfindung als müsse der Bauch platzen
Die Frauen konnten sich nur zusammengekrümmt

|              | zum Röntgentisch begeben |
|--------------|---------------------------|
|              | wo eine Aufnahme gemacht wurde |
| RICHTER      | Was sollte mit der Einspritzung bezweckt werden |
| ZEUGIN 4     | Der Eileiter sollte durch Verklebung |
|              | empfängnisunfähig gemacht werden |
| RICHTER      | Wurden diese Eingriffe |
|              | am selben Patienten wiederholt |
| ZEUGIN 4     | Nach der Einspritzung |
|              | wurde eine Kontrastflüssigkeit |
|              | zur Röntgenbeobachtung eingeführt |
|              | Danach wurde die Masse oft |
|              | noch einmal eingepumpt |
|              | Im Abstand von 3 bis 4 Wochen |
|              | konnte der Vorgang mehrmals wiederholt werden |
|              | Die meisten Todesfälle entstanden |
|              | durch Entzündung der Gebärmutter |
|              | oder des Bauchfells |
|              | Ich habe nie gesehen |
|              | daß die ärztlichen Instrumente |
|              | zwischen den Behandlungen |
|              | desinfiziert wurden |
| RICHTER      | Wieviele solche Versuche |
|              | wurden Ihrer Berechnung nach ausgeführt |
| ZEUGIN 4     | Während der 6 Monate |
|              | die ich auf Block Zehn verbrachte |
|              | wurden 400 Versuche dieser Art ausgeführt |
|              | Im Zusammenhang damit wurden auch |
|              | künstliche Befruchtungen vorgenommen |
|              | Wenn sich dabei eine Schwangerschaft herausstellte |
|              | wurde ein Abort eingeleitet |
| RICHTER      | In welchem Monat der Schwangerschaft |
|              | geschah das |
| ZEUGIN 4     | Im siebten Monat |
|              | Während der Schwangerschaft wurden noch |
|              | zahlreiche Röntgenversuche gemacht |
|              | Nach der Frühgeburt wurde das Kind |
|              | wenn es überhaupt lebendig zur Welt kam |
|              | getötet und obduziert |
| VERTEIDIGER  | Frau Zeugin |

geben Sie dem Gericht diese Angaben
aus zweiter Hand
oder aus eigenem Wissen wieder

ZEUGIN 4 Ich spreche aus persönlicher Erfahrung

VERTEIDIGER Was bewahrte Sie vor einer Erkrankung
mit tödlichem Ausgang

ZEUGIN 4 Die Räumung des Lagers

I

RICHTER   Frau Zeugin
Ist Ihnen der Name Lili Tofler
bekannt
ZEUGIN 5   Ja
Lili Tofler war ein ausgesprochen
hübsches Mädchen
Sie war verhaftet worden
weil sie einem Häftling
einen Brief geschrieben hatte
Beim Versuch
dem Häftling den Brief zuzuschmuggeln
war dieser gefunden worden
Lili Tofler wurde vernommen
Sie sollte den Namen des Häftlings nennen
Boger leitete die Verhöre
Auf seinen Befehl
wurde sie in den Bunkerblock gebracht
Dort mußte sie sich viele Male
nackt zur Wand stellen
und es wurde getan als sollte sie
erschossen werden
Man gab die Kommandos zum Schein
Zum Schluß flehte sie auf den Knien
man möge sie erschießen
RICHTER   Wurde sie erschossen
ZEUGIN 5   Ja
ZEUGE 6   Ich befand mich im Bunkerarrest
als Lili Tofler zusammen mit 2 anderen Häftlingen
die an dem Briefschmuggel beteiligt waren
dort eingesperrt wurde
Während dieser Tage durfte ich einmal
durch das Entgegenkommen des Funktionshäftlings
                                  Jakob
der die Aufsicht im Bunker führte
den Waschraum benutzen

Doch auf dem Weg dorthin
drängte Jakob mich plötzlich in einen Nebenraum
Durch den Türspalt sah ich
wie Lili Tofler von Boger
in den Waschraum geführt wurde
Ich hörte zwei Schüsse
und sah nach dem Fortgang Bogers
das Mädchen tot auf dem Boden liegen
Die beiden anderen Häftlinge wurden später
von Boger im Hof liquidiert

RICHTER  Angeklagter Boger
ist Ihnen dieser Fall bekannt

ANGEKLAGTER 2  Die Erschießung der Lili Tofler
stimmt mit der Wahrheit überein
Sie war als Schreiberin der Politischen Abteilung
Geheimnisträgerin
und durfte keinerlei Kontakt
mit anderen Häftlingen aufnehmen
Ich habe mit ihrer Erschießung
nichts zu tun gehabt
Ich war über ihren Tod damals ebenso erschüttert
wie der Bunkerjakob
dem die Tränen über die Backen liefen

RICHTER  Können Sie uns sagen
was in dem Brief stand

ANGEKLAGTER 2  Nein

RICHTER  Frau Zeugin
wissen Sie was in dem Brief stand

ZEUGIN 5  Lili Tofler fragte in dem Brief
ob es ihnen möglich sein könnte
jemals weiterzuleben
nach den Dingen die sie hier gesehen hatten
und von denen sie wüßten
Ich erinnere mich auch
daß sie in ihrem Brief
zunächst den Freund fragte
ob er ihre vorige Nachricht erhalten habe
Sie schrieb auch von ermutigenden Meldungen
die sie gehört hatte

| | |
|---|---|
| VERTEIDIGER | Frau Zeugin |
| | woher haben Sie diese Kenntnisse |
| ZEUGIN 5 | Ich war mit Lili Tofler befreundet |
| | Wir wohnten im gleichen Block |
| | Sie hatte mir von diesem Brief erzählt |
| | Später sah ich den Brief |
| | Ich arbeitete im Standesamt des Lagers |
| | Da lief die Todesbescheinigung Lili Toflers ein |
| | Der Brief war beigefügt |
| RICHTER | Kannten Sie den Häftling |
| | an den der Brief gerichtet war |
| ZEUGIN 5 | Ja |
| RICHTER | Verriet Lili Tofler seinen Namen |
| ZEUGIN 5 | Nein |
| | Die Häftlinge mußten auf dem Appellplatz antreten |
| | und Lili sollte ihren Freund denunzieren |
| | Ich erinnere mich noch genau |
| | wie sie vor ihm stand |
| | ihm kurz in die Augen sah |
| | und sofort weiterging |
| | ohne ein Wort zu sagen |
| VERTEIDIGER | Mußten Sie auch zum Appell antreten |
| ZEUGIN 5 | Ja |
| VERTEIDIGER | Wo war der Appellplatz |
| ZEUGIN 5 | Es war die Straße und der freie Platz |
| | vor den Küchengebäuden im alten Lager |
| VERTEIDIGER | Wie sah der Platz aus |
| ZEUGIN 5 | Rechts neben dem Galgen |
| | stand das Wachthäuschen des Rapportführers |
| | das war aus Holz gezimmert |
| | und mit Steinfugen bemalt |
| | Auf dem spitzen Dach war eine Wetterfahne |
| | Es sah aus wie aus einem Baukasten |
| | Die Häftlinge standen auf der Straße |
| | und auf allen Wegen zwischen den Blocks |
| | Lili Tofler wurde an ihnen entlang geführt |
| | Ich las an diesem Tag auch |
| | was auf dem Dach der Küche stand |
| | da war mit großen Lettern geschrieben |

ES GIBT EINEN WEG ZUR FREIHEIT
SEINE MEILENSTEINE HEISSEN
GEHORSAM FLEISS SAUBERKEIT
EHRLICHKEIT WAHRHAFTIGKEIT
UND LIEBE ZUM VATERLAND

RICHTER Wurde der Häftling
an den der Brief gerichtet war
nie entdeckt

ZEUGIN 5 Nein

## II

RICHTER Herr Zeuge
Sie waren damals Leiter
der landwirtschaftlichen Betriebe des Lagers
Zur Zeit ihrer Verhaftung arbeitete Lili Tofler
auf einer der Pflanzenstationen
die Ihnen unterstanden
Was hatte Lili Tofler dort zu tun

ZEUGE 1 Soweit ich mich erinnere
war sie Zeichnerin oder Schreiberin bei uns

RICHTER War sie von der Politischen Abteilung
an Sie abgetreten worden

ZEUGE 1 Das kann ich heute nicht mehr sagen
Unser Betrieb hatte mit dem Lager direkt
nichts zu tun
er fiel unter das Wirtschaftshauptamt
Durch den Anbau von Kautschukpflanzen
war es ein kriegswichtiger Betrieb
Im wesentlichen war mein Auftrag
ein wissenschaftlicher

RICHTER Herr Zeuge
ist Ihnen die Verhaftung der Lili Tofler bekannt

ZEUGE 1 Ich erinnere mich
daß da irgend etwas mit einem Brief war

RICHTER Wissen Sie
daß Lili Tofler auf Grund dieses Briefes
verhaftet wurde

| | |
|---|---|
| ZEUGE 1 | Ich glaube |
| | der Brief wurde in einer Sendung von Karotten |
| | gefunden |
| RICHTER | Was waren das für Karotten |
| ZEUGE 1 | Sie waren für die ärztliche Abteilung |
| | angepflanzt worden |
| RICHTER | Zu welchem Zweck |
| ZEUGE 1 | Ich nehme an |
| | als Krankenkost |
| | Professor Clauberg hatte das angeordnet |
| RICHTER | Was war Ihnen über Professor Claubergs Arbeit |
| | bekannt |
| ZEUGE 1 | Dort wurden Untersuchungen im Auftrag |
| | pharmazeutischer Industrien vorgenommen |
| RICHTER | Was für Untersuchungen waren das |
| ZEUGE 1 | Das weiß ich nicht |
| | Ich wußte vom Lager nur |
| | daß es sich um ein großes Industriegebiet |
| | handelte |
| | in dessen verschiedenen Zweigen |
| | Häftlinge als Arbeitskräfte |
| | eingesetzt wurden |
| ANKLÄGER | Herr Zeuge |
| | welcher dieser Industrien |
| | unterstand Ihre Abteilung |
| ZEUGE 1 | Wir gehörten zu den Buna-Werken |
| | der IG-Farben |
| | Wir arbeiteten alle auf Kriegswirtschaft |
| ANKLÄGER | War Ihnen bekannt |
| | daß die Häftlinge bei der Einrichtung |
| | der Industrien |
| | als Arbeitskräfte einkalkuliert waren |
| ZEUGE 1 | Ja natürlich |
| ANKLÄGER | Zahlten die Industrien Löhne |
| | für die Häftlingsarbeiter |
| ZEUGE 1 | Selbstverständlich |
| | Nach bestimmten Tarifen |
| ANKLÄGER | Was waren das für Tarife |
| ZEUGE 1 | Für einen Facharbeiter wurden 4 Mark |

|  | pro Tag gezahlt |
|---|---|
|  | für einen ungelernten Arbeiter 3 Mark |
| ANKLÄGER | Wie lang war der Arbeitstag |
| ZEUGE 1 | 11 Stunden |
| ANKLÄGER | An wen wurde der Lohn ausgezahlt |
| ZEUGE 1 | An die Lagerverwaltung |
|  | Die hatte ja für die Verpflegung der Häftlinge |
|  | zu sorgen |
| ANKLÄGER | Wie waren die Häftlinge genährt |
| ZEUGE 1 | In meinem Betrieb waren sie gut genährt |
| ANKLÄGER | War Ihnen nicht bekannt |
|  | daß die Häftlinge bis zum äußersten |
|  | verbraucht und dann getötet wurden |
| ZEUGE 1 | Ich habe mich immer bemüht |
|  | mehr für die Häftlinge zu tun |
|  | als mir zustand |
|  | Ich litt darunter |
|  | zu sehen |
|  | wie die Häftlinge die bei uns verpflichtet waren |
|  | täglich die kilometerweiten Strecken |
|  | von ihren Baracken zu den Arbeitslagern |
|  | zu Fuß zurücklegen mußten |
|  | Ich nützte die höchste Dringlichkeitsstufe aus |
|  | um darauf zu pochen |
|  | daß die in unserem Bereich |
|  | beschäftigten Arbeitskommandos |
|  | besser verpflegt wurden |
|  | und festes Schuhwerk bekamen |
| ANKLÄGER | Wieviele Häftlinge arbeiteten in Ihrem Betrieb |
| ZEUGE 1 | 500 bis 600 |
| ANKLÄGER | Fiel Ihnen nicht |
|  | ein starker Wechsel in den Kommandos auf |
| ZEUGE 1 | Ich bemühte mich darum |
|  | meine Leute zu behalten |
| ANKLÄGER | Kamen Krankheitsfälle vor |
| ZEUGE 1 | Die kamen natürlich vor |
|  | Mir waren ja auch die Epidemien bekannt |
|  | unter denen die Häftlinge |
|  | im Lager litten |

ANKLÄGER Fiel Ihnen nicht auf
daß Krankgemeldete nicht zurückkamen
ZEUGE 1 Nein
Oft kamen sie ja auch wieder
aus dem Revier zurück
ANKLÄGER Haben Sie von Mißhandlungen gehört
ZEUGE 1 Gehört ja
ANKLÄGER Was haben Sie gehört
ZEUGE 1 Ich habe gehört
daß sie geschlagen wurden
ANKLÄGER Von wem
ZEUGE 1 Ich weiß es nicht
Ich habe es ja nicht gesehn
Ich habe es nur gehört
ANKLÄGER Herr Zeuge
Wußten Sie von den Vernichtungsaktionen
ZEUGE 1 Wenn man 3 Jahre dort war
sickerte natürlich das eine und das andere durch
Da wußte man schon was los war
Aber als ich dann später die ersten Zahlen hörte
da habe ich das überhaupt nicht begriffen
ANKLÄGER Haben Sie selbst keine dieser Transporte gesehen
ZEUGE 1 Höchstens ein paar mal
ANKLÄGER Kennen Sie die Angeklagten in diesem Saal
ZEUGE 1 Einen Teil der Herren kenne ich
Vor allem die Führer unter ihnen
Wir trafen im Rahmen
des rein gesellschaftlichen Verkehrs
im Führerheim zusammen
ANKLÄGER Herr Zeuge
Sie sind heute Ministerialrat
Trafen Sie diese Herren
auch nach dem Kriege wieder
nachdem die meisten von ihnen
ins Zivilleben zurückgekehrt waren
ZEUGE 1 Dem einen oder dem andern
mag ich begegnet sein
ANKLÄGER Kamen Sie bei dieser Gelegenheit
auf die damaligen Geschehnisse zu sprechen

ZEUGE 1    Herr Staatsanwalt
Es ging uns schließlich allen darum
den Krieg zu gewinnen

ANKLÄGER    Das Gericht hat als Zeugen einberufen
drei ehemalige Leiter
der mit dem Lager zusammenarbeitenden Industrien
Der eine Zeuge hat dem Gericht ein Attest eingereicht
daß er erblindet sei
und deshalb nicht kommen könne
der andere Zeuge leidet an gebrochenem Rückgrat
Nur ein ehemaliger Vorsitzender des Aufsichtsrats
hat sich eingefunden
Herr Zeuge
Stehen Sie heute noch in Zusammenarbeit
mit den Industrien
die damals Häftlinge bei sich beschäftigten

VERTEIDIGER    Wir protestieren gegen diese Frage
die keinen andern Zweck hat
als das Vertrauen in unsere Industrie zu untergraben

ZEUGE 2    Ich bin nicht mehr aktiv
im Geschäftsleben tätig

ANKLÄGER    Nehmen Sie eine Ehrenrente dieser Industrien
entgegen

ZEUGE 2    Ja

ANKLÄGER    Beläuft sich diese Rente auf 300 000 Mark im Jahr

VERTEIDIGER    Wir widersprechen dieser Frage

ANKLÄGER    Herr Zeuge
Wenn Sie auf Ihrem Schloß leben
und sich nicht mehr mit den Angelegenheiten
des Konzerns befassen
der heute nur seinen Namen geändert hat
womit beschäftigen Sie sich dann

ZEUGE 2    Ich sammle Porzellan Gemälde und Stiche
sowie Gegenstände bäuerlichen Brauchtums

VERTEIDIGER    Fragen dieser Art
haben mit dem Eröffnungsbeschluß des Prozesses
nicht das geringste zu tun

ANKLÄGER    Herr Zeuge
Sie waren von der Industrieseite aus unmittelbar

für die Anstellung der Häftlingsarbeiter
                                    verantwortlich
Was ist Ihnen über die Vereinbarungen bekannt
zwischen der Industrie und der Lagerverwaltung
betreffend der Häftlinge
die nicht mehr arbeitsfähig waren

ZEUGE 2 Darüber ist mir nichts bekannt

ANKLÄGER Dem Gericht liegen Wochenberichte vor
in denen die Rede ist von Häftlingen
die von der Industrie als zu schwach
für die Arbeit befunden wurden

ZEUGE 2 Davon ist mir nichts bekannt

ANKLÄGER Ist Ihnen nicht der körperliche Zustand
der Häftlinge aufgefallen

ZEUGE 2 Ich persönlich habe mich immer
gegen die Anstellung dieser Arbeitskräfte gewehrt
die sich zumeist aus asozialen
oder politisch unzuverlässigen Elementen
zusammensetzten

ANKLÄGER Das Gericht ist im Besitz von Schreiben
in denen die segensreiche Freundschaft
zwischen der Lagerverwaltung und der Industrie
erwähnt wird
Es heißt dort unter anderem
Anläßlich eines Abendessens
haben wir weiterhin alle Maßnahmen festgelegt
welche die Einschaltung
des wirklich hervorragenden Betriebs des Lagers
zugunsten der Buna-Werke betreffen
Was waren das für Maßnahmen
Herr Zeuge

ZEUGE 2 Ich hatte nur meine Pflicht zu tun
und dafür zu sorgen
daß die Forderungen der Reichsbehörden
erfüllt wurden

ANKLÄGER Herr Zeuge
Lassen Sie es uns deutlich aussprechen
und damit die Aussagen bestätigen
in denen ein früherer Zeuge

auf das System der Ausbeutung hinwies
das für das Lager galt
Sie Herr Zeuge
sowie die anderen Direktoren
der großen Konzerne
erreichten durch unbegrenzten Menschenverschleiß
Jahresumsätze von mehreren Milliarden

VERTEIDIGER Wir protestieren

ANKLÄGER Lassen Sie es uns noch einmal bedenken
daß die Nachfolger dieser Konzerne heute
zu glanzvollen Abschlüssen kommen
und daß sie sich wie es heißt
in einer neuen Expansionsphase befinden

VERTEIDIGER Wir fordern das Gericht auf
diese Diffamierungen
zu Protokoll zu nehmen

III

RICHTER Herr Zeuge
Was wissen Sie über die Verhaftung
der Lili Tofler

ZEUGE I Was im einzelnen war
weiß ich nicht
Ich erinnere mich nur
daß sie abgeholt wurde
Ich fragte was da los sei und hörte
daß die Untersuchung weitergehe
Später habe ich gehört
daß man die Lili getötet hätte

RICHTER Wer hat sie getötet

ZEUGE I Ich weiß es nicht
Ich war ja nicht dabei

RICHTER Herr Zeuge
Sie hatten damals den Rang eines Oberführers
was etwa zwischen dem Rang eines Obersten
und eines Generalmajors liegt
Hatten Sie keine Möglichkeit einzugreifen

als Ihnen eine Mitarbeiterin weggenommen wurde

ZEUGE 1 Ich kannte den Fall nicht genügend

RICHTER Erkundigten Sie sich sich nicht
nach dem Grund ihrer Verhaftung

ZEUGE 1 Das lag außerhalb meiner Kompetenz

RICHTER Das war doch ein ganz massiver Eingriff
in Ihr persönliches Arbeitsgebiet
Man nahm Ihnen da einfach jemanden
aus dem Labor weg
den Sie für Ihre kriegswichtige Produktion
brauchten

ZEUGE 1 Lili Tofler war keine von den Spitzenkräften

RICHTER Herr Zeuge
Ein Mann der Politischen Abteilung
stand dem Rang nach doch tief unter Ihnen
Warum duldeten Sie diesen Eingriff
in Ihren Verantwortungsbereich

ZEUGE 1 Herr Vorsitzender
Es gab einen Begriff damals
der für alle galt
Dieser Begriff hieß
Sei vorsichtig mit Häftlingsbegünstigung
Bis zu einer bestimmten Grenze konnte man gehn
aber weiter nicht

RICHTER Wir rufen als Zeugen auf
den Häftling
an den Lili Tofler
den erwähnten Brief gerichtet hatte
Herr Zeuge
wie gelang es Ihnen
zu überleben

ZEUGE 9 Ein paar Tage nach ihrer Einlieferung in den Bunker
wurde auch ich dorthin überführt
Ich glaubte
Lili habe mich verraten
aber ich war nur zusammen mit anderen
als Geisel festgenommen worden
Ich hörte dort
daß Lili sich jeden Morgen und jeden Nachmittag

eine Stunde lang in den Waschraum stellen müsse
Boger drückte ihr während dieser Zeit
eine Pistole an die Schläfe
Dies dauerte 4 Tage
Dann wurde ich zusammen mit 50 Häftlingen
zur Erschießung geholt
Die ganze Zeit glaubte ich
man wisse
daß der Brief an mich gerichtet gewesen war
Wir mußten uns ausziehen
und im Korridor aufstellen
Ich sah wie der Schreiber auf der Liste
hinter meiner Nummer
ein Kreuz machte
Papiermäßig war ich bereits tot
Die Häftlinge wurden in den Hof gebracht
und erschossen
Nur zwei wurden aus irgendeinem Grund
zurückgehalten
Einer der beiden war ich
Ich drückte mich noch im Flur herum
als plötzlich der Bunkerjakob kam
und mich in den Hof zog
Ich glaubte
nun auch erschossen zu werden
Aber Jakob zeigte mir nur den Haufen
der toten Kameraden
Obenauf lagen die beiden Häftlinge
die den Brief ins Lager geschmuggelt hatten
Etwas weiter abseits lag Lili
mit zwei Herzschüssen
Ich fragte Jakob
wer sie erschossen habe
Er sagte
Boger

RICHTER  Angeklagter Boger
wollen Sie noch etwas sagen
ANGEKLAGTER 2  Nein danke
RICHTER  Frau Zeugin

Woher stammte diese Lili Tofler

ZEUGIN 5  Das ist mir nicht bekannt

RICHTER  Wie war ihr Wesen

ZEUGIN 5  Jedesmal wenn ich Lili traf
und sie fragte
Wie geht es dir Lili
sagte sie
Mir geht es immer gut

# 6 Gesang vom Unterscharführer Stark

I

ZEUGE 8   Der Angeklagte Stark
war unser Vorgesetzter im Aufnahmekommando
Ich war dort als Schreiber tätig
Stark war damals 20 Jahre alt
In seinen freien Stunden
bereitete er sich zur Reifeprüfung vor
Um seine Kenntnisse zu überprüfen
wandte er sich gern mit Fragen
an die Häftlingsabiturienten
An dem Abend
als die polnische Frau mit den beiden Kindern
eingeliefert wurde
führte er einen Diskurs mit uns
über den Humanismus bei Goethe

RICHTER   Um was für einen Fall handelte es sich
bei dieser Einlieferung

ZEUGE 8   Wir erfuhren später das folgende
Der achtjährige Junge
den die Frau an der Hand führte
hatte einem Lagerbeamten
ein Kaninchen weggenommen
um es der zweijährigen Tochter der Frau
zum Spielen zu geben
Deshalb sollten alle drei
erschossen werden
Stark
führte die Erschießung aus

RICHTER   Konnten Sie das sehen

ZEUGE 8   Die Erschießungen wurden damals
im alten Krematorium durchgeführt
Das Krematorium lag gleich
hinter der Aufnahmebaracke
Durch das Fenster konnten wir sehen
wie Stark mit der Frau und den Kindern
in das Krematorium ging

|               | Er hatte seinen Karabiner umgehängt |
|---------------|--------------------------------------|

Er hatte seinen Karabiner umgehängt
Wir hörten eine Reihe von Schüssen
Dann kam Stark allein zurück

RICHTER Angeklagter Stark
Entspricht diese Schilderung dem Sachverhalt

ANGEKLAGTER 12 Das streite ich energisch ab

RICHTER Was hatten Sie für einen Rang im Lager

ANGEKLAGTER 12 Ich war Blockführer

RICHTER Wie kamen Sie ins Lager

ANGEKLAGTER 12 Ich wurde zusammen mit einer Gruppe
von Unterscharführern
angefordert

RICHTER Wirkten Sie sofort als Blockführer

ANGEKLAGTER 12 Dafür waren wir vorgesehen
und dort wurden wir eingesetzt

RICHTER Waren Sie für diese Tätigkeit
vorbereitet worden

ANGEKLAGTER 12 Wir hatten die Führerschule hinter uns

RICHTER Gab es da praktische Richtlinien
für die Tätigkeit im Lager

ANGEKLAGTER 12 Nur eine kurze Einweisung

RICHTER Was geschah bei Ihrer Ankunft im Lager

ANGEKLAGTER 12 Da war eine Empfangskommission

RICHTER Wer war dabei

ANGEKLAGTER 12 Der Kommandant und der Adjudant
der Schutzhaftlagerführer
der Rapportführer

RICHTER Was erhielten Sie für Aufgaben

ANGEKLAGTER 12 Ich wurde zuerst einem Häftlingsblock
zugeteilt
Dort waren vorwiegend junge Leute
Schüler und Studenten

RICHTER Weshalb waren die Häftlinge dort

ANGEKLAGTER 12 Ich glaube
wegen ihrer Kontakte zur Widerstandsbewegung
Es war ein Kollektivvorwurf
Sie waren von der Kommandantur der
Sicherheitspolizei
ins Lager verlegt worden

| | |
|---|---|
| RICHTER | Haben Sie Einweisungsschreiben |
| | für diese Leute gesehn |
| ANGEKLAGTER 12 | Nein |
| | Ich hatte damit auch nichts zu tun |
| RICHTER | Was hatten Sie denn zu tun |
| ANGEKLAGTER 12 | Ich hatte dafür zu sorgen |
| | daß die Leute rechtzeitig |
| | zur Arbeit kamen |
| | und daß die Zahlen stimmten |
| RICHTER | Wurden Fluchtversuche unternommen |
| ANGEKLAGTER 12 | Unter meiner Aufsicht nicht |
| RICHTER | Hatten die Leute eine angemessene Verpflegung |
| ANGEKLAGTER 12 | Jeder hatte seinen Liter Suppe |
| RICHTER | Was geschah |
| | wenn die Leute nicht arbeiten konnten |
| | oder wollten |
| ANGEKLAGTER 12 | Das hat es nicht gegeben |
| RICHTER | Hatten Sie nie Anlaß einzugreifen |
| | wenn die Häftlinge etwas Verbotenes taten |
| ANGEKLAGTER 12 | Das kam nicht vor |
| | Ich habe nie eine Meldung geschrieben |
| RICHTER | Haben Sie niemals geschlagen |
| ANGEKLAGTER 12 | Das hatte ich nicht nötig |
| RICHTER | Wann kamen Sie zum Aufnahmeblock |
| | der Politischen Abteilung |
| ANGEKLAGTER 12 | Im Mai 1941 |
| RICHTER | Was war der Grund Ihrer Versetzung |
| ANGEKLAGTER 12 | Ich lernte Untersturmführer Grabner |
| | den Chef der Politischen Abteilung |
| | beim Reiten kennen |
| | Er fragte mich was ich von Beruf sei |
| | und als ich sagte ich sei Schüler |
| | und stände vor dem Abitur |
| | antwortete er |
| | daß solche Leute gesucht seien |
| | Nach einigen Tagen stand meine Abstellung |
| | im Kommandanturbefehl |
| RICHTER | Was hatten Sie in der Aufnahmeabteilung |
| | zu tun |

ANGEKLAGTER 12   Ich hatte mich zunächst
mit der Registratur vertraut zu machen
Einkommende Häftlinge wurden
mit einer Nummer versehn
Anschließend waren Personalbogen zu erstellen
und Karteikarten anzulegen
RICHTER   Wie kamen die Häftlinge an
ANGEKLAGTER 12   Entweder im Fußmarsch
oder im Lastwagentransport
oder per Zug
Die Züge kamen regelmäßig Dienstag
Donnerstag und Freitag
RICHTER   Wie ging die Aufnahme vor sich
ANGEKLAGTER 12   Ich hatte mich bereitzuhalten
wenn Transporte angekündigt waren
Zuerst wurden die Häftlinge
vor dem Lagertor aufgestellt
dann kam der Transportleiter
und händigte auf der Aufnahme
die Transportpapiere aus
Die Häftlinge traten an zum Zählen
und zur Übergabe einer Nummer
Damals wurden die Nummern
noch nicht eintätowiert
Jeder Häftling bekam seine Nummer
in dreifacher Ausfertigung auf Karton
Eine Nummer blieb bei ihm
eine kam zu den Effekten
eine zu den Wertsachen
Seine Pappnummer mußte der Häftling aufbewahren
bis er eine Stoffnummer bekam
RICHTER   Was hatten Sie dabei zu tun
ANGEKLAGTER 12   Ich hatte die Nummern auszugeben
und die Leute zur Effektenkammer zu führen
Dort wurden die Häftlinge umgezogen
gebadet und eingekleidet
und es wurden ihnen die Haare geschnitten
Dann wurden sie aufgenommen
durch die Aufnahme

| | |
|---|---|
| RICHTER | Wie ging das vor sich |
| ANGEKLAGTER 12 | Die Personalbogen wurden ausgefüllt |
| | Die für die Aufnahme erstellten Fragebogen |
| | gingen in die Aufnahmeräume |
| | Dann wurde eine Zugangsliste erstellt |
| | Daraus ging hervor |
| | ob es sich um einen politischen Häftling |
| | einen kriminellen Häftling |
| | oder einen rassischen Häftling handelte |
| | Die Liste lief dann in die verschiedenen Abteilungen |
| RICHTER | Was für Abteilungen waren das |
| ANGEKLAGTER 12 | An den Schutzhaftlagerführer |
| | die Kommandantur |
| | die Politische Abteilung |
| | die Ärzte |
| | Sie wurden in 11- oder 12facher Ausfertigung |
| | mit der Tagespost verteilt |
| RICHTER | Was hatten Sie dann weiterhin |
| | mit den Häftlingen zu tun |
| ANGEKLAGTER 12 | Nach der Aufnahme |
| | waren die Häftlinge für mich erledigt |
| ANKLÄGER | Angeklagter Stark |
| | waren Sie bei allen ankommenden Transporten |
| | zugegen |
| ANGEKLAGTER 12 | Befehlsmäßig hatte ich dort zu sein |
| ANKLÄGER | Was war Ihre Aufgabe |
| | bei der Ankunft der Transporte |
| ANGEKLAGTER 12 | Ich war dort nur |
| | für den Schriftverkehr verantwortlich |
| ANKLÄGER | Was bedeutet das |
| ANGEKLAGTER 12 | Ein Teil der Häftlinge wurde verlegt |
| | Die hatte ich einzubuchen |
| ANKLÄGER | Und die andern |
| ANGEKLAGTER 12 | Die andern wurden überstellt |
| ANKLÄGER | Worin bestand der Unterschied |
| ANGEKLAGTER 12 | Die Häftlinge die verlegt wurden |
| | kamen ins Lager |
| | Die überstellten Häftlinge wurden nicht aufgenomme |
| | und nicht erfaßt |

|  | Das ist der Unterschied zwischen Verlegung |
|---|---|
|  | und Überstellung |
| ANKLÄGER | Was geschah mit den überstellten Häftlingen |
| ANGEKLAGTER 12 | Sie wurden sofort zur Vernichtung |
|  | ins kleine Krematorium eingeliefert |
| ANKLÄGER | War dies noch vor der Erbauung |
|  | der großen Krematorien |
| ANGEKLAGTER 12 | Die großen Krematorien der Außenlager |
|  | wurden erst im Sommer 1942 |
|  | betriebsfähig |
|  | Bis dahin wurde das Krematorium |
|  | des alten Lagers benutzt |
| ANKLÄGER | Wie spielte sich das Überstellen |
|  | der Häftlinge ab |
| ANGEKLAGTER 12 | Die Listen wurden verglichen |
|  | und die Namen abgehakt |
|  | Dann mußten wir mit den Leuten |
|  | die nicht zur Aufnahme bestimmt waren |
|  | im kleinen Krematorium einrücken |
| ANKLÄGER | Was wurde den Leuten gesagt |
| ANGEKLAGTER 12 | Die wurden informiert |
|  | daß sie entlaust werden sollten |
| ANKLÄGER | Waren sie nicht unruhig |
| ANGEKLAGTER 12 | Nein |
|  | Sie gingen ruhig hinein |

II

| ZEUGE 8 | Wir kannten genau Starks Verhalten |
|---|---|
|  | wenn er von einer Tötung kam |
|  | Da mußte alles sauber und ordentlich |
|  | in der Stube sein |
|  | und mit Handtüchern hatten wir die Fliegen |
|  | zu verjagen |
|  | Wehe |
|  | wenn er jetzt eine Fliege entdeckte |
|  | dann war er außer sich vor Zorn |
|  | Noch ehe er seine Feldmütze abnahm |

<pre>
            wusch er sich die Hände in einer Schüssel
            die der Kalfaktor schon auf den Hocker
            gleich neben der Eingangstür gestellt hatte
            Wenn er sich die Hände gewaschen hatte
            zeigte er auf das schmutzige Wasser
            und der Kalfaktor mußte laufen
            und frisches Wasser holen
            Dann gab er uns seine Jacke zum Säubern
            und wusch sich nochmals Gesicht und Hände
ZEUGE 7     Mein ganzes Leben lang sehe ich Stark
            immer Stark
            Ich höre wie er ruft
            Los rein ihr Schweinehunde
            und da mußten wir hinein in die Kammer
RICHTER     In welche Kammer
ZEUGE 7     In die Leichenkammer des alten Krematoriums
            Da lagen mehrere 100 Männer
            Frauen und Kinder
            wie Pakete
            Auch Kriegsgefangene waren darunter
            Los
            Leichen ausziehn
            rief Stark
            Ich war 18 Jahre alt
            und hatte noch keine Toten gesehn
            Ich blieb stehen
            da schlug Stark auf mich ein
RICHTER     Hatten die Toten Wunden
ZEUGE 7     Ja
RICHTER     Waren es Schußwunden
ZEUGE 7     Nein
            Die Menschen waren vergast worden
            Sie lagen steif übereinander
            Manchmal zerrissen die Kleider
            Da wurden wir wieder geschlagen
RICHTER     Mußten die Menschen sich nicht
            vorher ausziehen
ZEUGE 7     Das war später
            in den neuen Krematorien
</pre>

|           | da gab es Auskleideräume |
| RICHTER | War Stark dort auch dabei |
| ZEUGE 7 | Immer wieder war Stark dabei |
|           | Ich höre ihn rufen |
|           | Los |
|           | Klamotten einsammeln |
|           | Einmal hatte sich ein kleiner Mann |
|           | unter einem Kleiderhaufen versteckt |
|           | Stark entdeckte ihn |
|           | Komm her rief er |
|           | und stellte ihn an die Wand |
|           | Er schoß ihm erst in das eine Bein |
|           | und dann in das andere |
|           | zum Schluß |
|           | mußte er sich auf eine Bank setzen |
|           | und Stark schoß ihn tot |
|           | Er schoß am liebsten erst in die Beine |
|           | Ich hörte wie eine Frau schrie |
|           | Herr Kommandant |
|           | ich habe doch nichts getan |
|           | Da rief er |
|           | Los an die Wand Sarah |
|           | Die Frau flehte um ihr Leben |
|           | da begann er zu schießen |
| RICHTER | Herr Zeuge |
|           | Wann sahen Sie den Angeklagten Stark |
|           | zum ersten Mal bei diesen Tötungen |
| ZEUGE 7 | Im Herbst 1941 |
| RICHTER | Waren dies die ersten Tötungen |
|           | durch Gas |
| ZEUGE 7 | Ja |
| RICHTER | Wie sah das alte Krematorium aus |
| ZEUGE 7 | Es war ein Betonbau |
|           | mit einem dicken viereckigen Schornstein |
|           | Die Wände waren durch schräge Erdanschüttungen |
|           | verdeckt |
|           | Der Leichenraum war etwa 20 Meter lang |
|           | und 5 Meter breit |
|           | Er war durch eine kleine Vorkammer zu erreichen |

Vom Leichenraum führte eine Tür
zum ersten Verbrennungsofen
und eine weitere Tür
zur Halle mit den beiden anderen Öfen

RICHTER Angeklagter Stark
Wie groß waren die Gruppen der Menschen
die Sie zur Tötung abzuführen hatten

ANGEKLAGTER 12 Im Durchschnitt 150 bis 200 Stück

RICHTER Waren Frauen und Kinder darunter

ANGEKLAGTER 12 Ja

RICHTER Fanden Sie es richtig
daß Frauen und Kinder
zu diesen Transporten gehörten

ANGEKLAGTER 12 Ja
Damals bestand eben
die Sippenhaftung

RICHTER Sie stellten die Schuld
dieser Frauen und Kinder
nicht in Frage

ANGEKLAGTER 12 Es war uns gesagt worden
daß sie beteiligt waren
an Brunnenvergiftungen
Brückensprengungen
und anderen Sabotagen

RICHTER Sahen Sie auch Kriegsgefangene
zwischen diesen Menschen

ANGEKLAGTER 12 Ja
Diese Gefangenen hatten laut Befehl
jeden Anspruch auf ehrenhafte Behandlung
verloren

ANKLÄGER Angeklagter Stark
Im Herbst 1941 wurden große Mengen sowjetischer
Kriegsgefangener
in das Lager eingeliefert
Unseren Protokollen nach waren Sie zuständig
für die Bearbeitung dieser Kontingente

ANGEKLAGTER 12 Ich hatte mit diesen Transporten
nur Auftragsmäßiges zu tun

ANKLÄGER Was bedeutet Auftragsmäßiges

| | |
|---|---|
| ANGEKLAGTER 12 | Ich hatte sie lediglich abzuführen |
| | und ihre Karteikarten mit dem Vermerk |
| | des Erschießungsbefehls |
| | entgegenzunehmen |
| | Des weiteren hatte ich ihre Erkennungsmarken |
| | abzubrechen |
| | und die Nummern in der Kartei zu verwahren |
| ANKLÄGER | Welcher Grund |
| | war für die Erschießung der Kriegsgefangenen |
| | angegeben worden |
| ANGEKLAGTER 12 | Es handelte sich um die Vernichtung |
| | einer Weltanschauung |
| | Mit ihrer fanatischen politischen Einstellung |
| | gefährdeten diese Gefangenen |
| | die Sicherheit des Lagers |
| ANKLÄGER | Wo wurden die Erschießungen ausgeführt |
| ANGEKLAGTER 12 | Im Hof von Block Elf |
| ANKLÄGER | Nahmen Sie an den Erschießungen teil |
| ANGEKLAGTER 12 | In einem Falle |
| | ja |
| ANKLÄGER | Wie ging das vor sich |
| ANGEKLAGTER 12 | Die Leute waren verlesen worden |
| | und die Formalitäten waren erledigt |
| | Sie wurden nacheinander in den Hof geführt |
| | Es war schon ziemlich am Ende |
| | Da sagte Grabner |
| | Hier macht der Stark weiter |
| | Vorher hatten die andern Blockführer |
| | abwechselnd geschossen |
| ANKLÄGER | Wieviele haben Sie erschossen |
| ANGEKLAGTER 12 | Das weiß ich nicht mehr |
| ANKLÄGER | Waren es mehr als einer |
| ANGEKLAGTER 12 | Ja |
| ANKLÄGER | Mehr als 2 |
| ANGEKLAGTER 12 | 4 bis 5 werden es schon gewesen sein |
| ANKLÄGER | Sträubten Sie sich nicht |
| | an der Erschießung teilzunehmen |
| ANGEKLAGTER 12 | Es war ja Befehl |
| | Ich hatte hier als Soldat zu handeln |

| | |
|---|---|
| ANKLÄGER | Hatten Sie noch mit anderen Erschießungen |
| | zu tun |
| ANGEKLAGTER 12 | Nein |
| | Ich kam dann auf Urlaub |
| | um mein Schulstudium zu beenden |
| ANKLÄGER | Wann traten Sie den Urlaub an |
| ANGEKLAGTER 12 | Im Dezember 1941 |
| ANKLÄGER | Wann brachten Sie Ihr Schulstudium |
| | zum Abschluß |
| ANGEKLAGTER 12 | Im Frühjahr 1942 |
| | erlegte ich die Reifeprüfung |
| ANKLÄGER | Kehrten Sie anschließend |
| | ins Lager zurück |
| ANGEKLAGTER 12 | Ja |
| | auf kürzere Zeit |
| VERTEIDIGER | Wir möchten zu bedenken geben |
| | daß unser Mandant |
| | 20 Jahre alt war |
| | als er zur Lagerarbeit |
| | abkommandiert wurde |
| | Wie Zeugen bestätigten |
| | hatte er rege geistige Interessen |
| | wie er auch seinem ganzen Charakter nach |
| | für die ihm gestellten Aufgaben |
| | nicht paßte |
| | Wir möchten darauf aufmerksam machen |
| | daß unser Mandant |
| | ein Jahr nach Abschluß der Schulstudien |
| | einen weiteren Urlaub erhielt |
| | um Rechtswissenschaft zu studieren |
| | wonach er im letzten Kriegsjahr |
| | beim Fronteinsatz verwundet wurde |
| | Gleich nach dem Krieg |
| | als er sich in normalisierten Verhältnissen |
| | einleben durfte |
| | entwickelte er sich vorbildlich |
| | Er studierte zunächst Landwirtschaft |
| | legte das Assessorexamen ab |
| | war Sachbearbeiter für Wirtschaftsberatung |

<pre>
                    und bis zu seiner Verhaftung
                    als Lehrer
                    an einer Landwirtschaftsschule tätig
        ANKLÄGER     Angeklagter Stark
                    Wirkten Sie mit bei den ersten Vergasungen
                    die Anfang September 1941
                    probeweise an sowjetischen Kriegsgefangenen
                    vorgenommen wurden
  ANGEKLAGTER 12     Nein
        ANKLÄGER     Angeklagter Stark
                    Im Herbst und Winter 1941
                    begannen die Massenvernichtungen
                    von sowjetischen Kriegsgefangenen
                    Diesen Vernichtungen fielen 25 000 Menschen
                    zum Opfer
                    Sie hatten mit der Erfassung
                    dieser Gefangenen zu tun
                    Sie haben von ihrer Tötung gewußt
                    Sie haben die Tötung gebilligt
                    und die notwendige Teilarbeit geleistet
     VERTEIDIGER     Wir protestieren auf das Dringlichste
                    gegen diese Angriffe auf unseren Mandanten
                    Pauschale Beschuldigungen
                    sind ohne jegliche Bedeutung
                    Zur Behandlung stehen nur
                    klar bewiesene Fälle von Täterschaft
                    und Mittäterschaft
                    im Zusammenhang mit Mordvorwürfen
                    Jeder auch nur leiseste Zweifel
                    muß zugunsten des Angeklagten ausschlagen
                    *Die Angeklagten lachen zustimmend*
</pre>

III

<pre>
         RICHTER     Angeklagter Stark
                    Haben Sie nie bei Vergasungen mitgewirkt
  ANGEKLAGTER 12     Einmal mußte ich da mittun
         RICHTER     Um wieviel Menschen handelte es sich
</pre>

| | |
|---|---|
| ANGEKLAGTER 12 | Es können 150 gewesen sein |
| | Immerhin 4 Lastwagen voll |
| RICHTER | Was für Häftlinge waren es |
| ANGEKLAGTER 12 | Es war ein gemischter Transport |
| RICHTER | Was hatten Sie zu tun |
| ANGEKLAGTER 12 | Ich stand draußen vor der Treppe |
| | nachdem ich die Leute |
| | ins Krematorium geführt hatte |
| | Die Sanitäter |
| | die für die Vergasung zuständig waren |
| | hatten die Türen zugeschlossen |
| | und trafen ihre Vorbereitungen |
| RICHTER | Woraus bestanden die Vorbereitungen |
| ANGEKLAGTER 12 | Sie stellten die Büchsen bereit |
| | und setzten sich Gasmasken auf |
| | dann gingen sie die Böschung hinauf |
| | zum flachen Dach |
| | Im allgemeinen waren 4 Leute erforderlich |
| | Diesmal fehlte einer |
| | und sie riefen |
| | daß sie noch jemanden brauchten |
| | Weil ich der einzige war der hier rumstand |
| | sagte Grabner |
| | Los |
| | hier helfen |
| | Ich bin aber nicht gleich gegangen |
| | Da kam der Schutzhaftlagerführer und sagte |
| | Etwas plötzlich |
| | Wenn Sie nicht raufgehn |
| | werden Sie mit rein geschickt |
| | Da mußte ich hinauf |
| | und beim Einfüllen helfen |
| RICHTER | Wo wurde das Gas eingeworfen |
| ANGEKLAGTER 12 | Durch Luken in der Decke |
| RICHTER | Was haben denn die Menschen da unten gemacht |
| | in diesem Raum |
| ANGEKLAGTER 12 | Das weiß ich nicht |
| RICHTER | Haben Sie nichts gehört von dem |
| | was sich da unten abspielte |

| | |
|---|---|
| ANGEKLAGTER 12 | Die haben geschrien |
| RICHTER | Wie lange |
| ANGEKLAGTER 12 | So 10 bis 15 Minuten |
| RICHTER | Wer hat den Raum geöffnet |
| ANGEKLAGTER 12 | Ein Sanitäter |
| RICHTER | Was haben Sie da gesehn |
| ANGEKLAGTER 12 | Ich habe nicht genau hingesehn |
| RICHTER | Hielten Sie das was sich Ihnen zeigte |
| | für unrecht |
| ANGEKLAGTER 12 | Nein durchaus nicht |
| | Nur die Art |
| RICHTER | Was für eine Art |
| ANGEKLAGTER 12 | Wenn jemand erschossen wurde |
| | das war etwas anderes |
| | Aber die Anwendung von Gas |
| | das war unmännlich und feige |
| RICHTER | Angeklagter Stark |
| | Während Ihrer Studien zur Reifeprüfung |
| | kam Ihnen da niemals ein Zweifel |
| | an Ihren Handlungen |
| ANGEKLAGTER 12 | Herr Vorsitzender |
| | ich möchte das einmal erklären |
| | Jedes dritte Wort in unserer Schulzeit |
| | handelte doch von denen |
| | die an allem schuld waren |
| | und die ausgemerzt werden mußten |
| | Es wurde uns eingehämmert |
| | daß dies nur zum besten |
| | des eigenen Volkes sei |
| | In den Führerschulen lernten wir vor allem |
| | alles stillschweigend entgegenzunehmen |
| | Wenn einer noch etwas fragte |
| | dann wurde gesagt |
| | Was getan wird geschieht nach dem Gesetz |
| | Da hilft es nichts |
| | daß heute die Gesetze anders sind |
| | Man sagte uns |
| | Ihr habt zu lernen |
| | ihr habt die Schulung nötiger als Brot |

Herr Vorsitzender
Uns wurde das Denken abgenommen
Das taten ja andere für uns
*Zustimmendes Lachen der Angeklagten*

# 7 Gesang von der Schwarzen Wand

## I

ZEUGE 3   Die Erschießungen wurden
vor der Schwarzen Wand ausgeführt
im Hof des Block Elf

RICHTER   Wo lag Block Elf

ZEUGE 3   Am äußeren rechten Ende
des alten Lagers

RICHTER   Herr Zeuge
können Sie uns den Hof beschreiben

ZEUGE 3   Der Hof lag zwischen Block Zehn und Block Elf
und nahm die volle Blockfläche
von 40 Metern ein
Vorn und hinten war der Hof
von einer Ziegelsteinmauer abgeschlossen

RICHTER   Von wo aus war der Hof zu erreichen

ZEUGE 3   Durch eine Seitentür in Block Elf
und durch ein Tor in der vorderen Mauer

RICHTER   Bestand Einsicht in den Hof

ZEUGE 3   Nur durch die vorderen Fenster
im Erdgeschoß von Block Elf
Wenn das Hoftor zum Abtransport der Erschossenen
geöffnet wurde
war Lagersperre
Die übrigen Fenster von Block Elf
waren bis auf einen schmalen Spalt oben
zugemauert
Die Fenster des Frauenblocks nebenan
waren mit Brettern verschalt

RICHTER   Wie hoch war die Mauer

ZEUGE 3   Etwa 4 Meter hoch

RICHTER   Wo lag die Schwarze Wand

ZEUGE 3   Dem Tor gegenüber
an der rückwärtigen Mauer

RICHTER   Wie sah die Schwarze Wand aus

ZEUGE 3   Sie war aus dicken Holzbohlen errichtet

|              | und hatte seitlich je einen |
|--------------|------------------------------|
|              | schräg vorstoßenden Kugelfang |
|              | Das Holz war mit geteertem |
|              | Sackleinen bespannt |
| RICHTER | Wie groß war die Schwarze Wand |
| ZEUGE 3 | Etwa 3 Meter hoch |
|              | und 4 Meter breit |
| RICHTER | Von wo wurden die Verurteilten |
|              | zur Schwarzen Wand geführt |
| ZEUGE 3 | Sie kamen aus der Seitentür des Block Elf |
| RICHTER | Beschreiben Sie diesen Vorgang |
| ZEUGE 3 | Der Bunkerjakob erschien |
|              | mit jeweils zwei entkleideten Häftlingen |
| RICHTER | Wer war dieser Bunkerjakob |
| ZEUGE 3 | Der Bunkerjakob war der diensthabende |
|              | Funktionshäftling in Block Elf |
|              | Es war ein großer kräftiger Mann |
|              | ein ehemaliger Boxer |
| RICHTER | Wie wurden die Häftlinge hinausgeführt |
| ZEUGE 3 | Jakob befand sich zwischen ihnen |
|              | und hielt sie an den Oberarmen fest |
| RICHTER | Waren die Hände der Häftlinge gefesselt |
| ZEUGE 3 | Bis zum Jahr 1942 waren sie |
|              | mit Draht auf dem Rücken zusammengebunden |
|              | Später ging man davon ab |
|              | da die Erfahrung zeigte |
|              | daß sich fast alle Häftlinge |
|              | ruhig verhielten |
| RICHTER | Wie weit war es von der Seitentür |
|              | bis zur Schwarzen Wand |
| ZEUGE 3 | Zunächst die 6 Stufen von der Tür hinab |
|              | dann 20 Schritte zur Schwarzen Wand |
|              | Alles ging im Laufschritt vor sich |
|              | Wenn Jakob die Häftlinge |
|              | zur Wand gebracht hatte |
|              | lief er zurück |
|              | um die nächsten zu holen |
| RICHTER | Wie wurden die Erschießungen ausgeführt |
| ZEUGE 3 | Die Häftlinge wurden |

mit dem Gesicht zur Wand gestellt
1 bis 2 Meter voneinander entfernt
Dann trat der Erschießende an den ersten heran
hob den Karabiner an dessen Genick
und schoß aus einer Entfernung
von etwa 10 Zentimetern
Der Danebenstehende sah es
Sobald der erste gefallen war
kam er an die Reihe

RICHTER Was für eine Waffe
wurde bei den Erschießungen benutzt

ZEUGE 3 Ein Kleinkalibergewehr mit Schalldämpfer

RICHTER Wen haben Sie bei den Erschießungen
an der Schwarzen Wand gesehen

ZEUGE 3 Den Lagerkommandanten
den Adjutanten
den Chef der Politischen Abteilung Grabner
sowie seine Mitarbeiter
Unter anderen sah ich
Broad Stark Boger und Schlage
Auch Kaduk war oft dort

VERTEIDIGER Sind Sie sicher
daß der Adjutant dort war

ZEUGE 3 Er war eine bekannte Persönlichkeit
So wie man den Kommandanten kannte
kannte man auch den Adjutanten

VERTEIDIGER Was hatten Sie im Hof
bei den Erschießungen zu tun

ZEUGE 3 Als Medizinstudent
war ich dem Leichenträgerkommando
zugeordnet worden

RICHTER Wer von den Angeklagten
war bei den Erschießungen tätig

ZEUGE 3 Eigenhändig erschießen sah ich
Boger Broad Stark Schlage und Kaduk

RICHTER Angeklagter Boger
haben Sie an Erschießungen
vor der Schwarzen Wand teilgenommen

ANGEKLAGTER 2 Ich habe im Lager keinen Schuß abgegeben

RICHTER Angeklagter Broad
haben Sie an Erschießungen
vor der Schwarzen Wand teilgenommen
ANGEKLAGTER 16 Solche Aufgaben hatte ich nie durchzuführen
RICHTER Angeklagter Schlage
haben Sie als Aufseher im Block Elf
auch an Erschießungen
von der Schwarzen Wand teilgenommen
ANGEKLAGTER 14 Dazu war ich nicht befugt
RICHTER Angeklagter Kaduk
haben Sie an Erschießungen
vor der Schwarzen Wand teilgenommen
ANGEKLAGTER 7 In den Block Elf
da kam ich überhaupt nie hin
Was hier über meine Person gesagt wird
das ist glatte Lüge
RICHTER Herr Zeuge
wurden vor den Erschießungen
Todesurteile verlesen
ZEUGE 3 Bei den meisten Erschießungen nicht
Wenn ein Todesurteil vorlag
erschien ein besonderes Exekutionskommando
doch an ein solches kann ich mich nur
in wenigen Fällen erinnern
Im allgemeinen wurden die Häftlinge
einfach aus den Zellen des Blocks Elf
heraufgeholt
RICHTER In welchem Zustand befanden sich die Häftlinge
ZEUGE 3 Die meisten waren körperlich schwer geschädigt
nach den Vernehmungen
und dem Aufenthalt im Bunker
Es gab solche
die auf der Bahre zur Wand getragen wurden
RICHTER Wir rufen als Zeugen auf
den damaligen weisunggebenden Vorgesetzten
der hier befindlichen Angeklagten
Herr Zeuge
Sie waren Chef der zuständigen Zentrale
der Sicherheitspolizei

|  | und Vorsitzender des Standgerichts |
|  | Was hatten Sie als solcher |
|  | mit den Hinrichtungen zu tun |
|  | Die von der Politischen Abteilung |
|  | im Lager durchgeführt wurden |
| ZEUGE 1 | Meine Dienststelle hatte mit den Handhabungen |
|  | der Politischen Abteilung im Lager |
|  | nicht das geringste zu tun |
|  | Mir standen ausschließlich Fälle |
|  | von Partisanen zur Verhandlung |
|  | Diese wurden ins Lager überführt |
|  | und dort in einem Sitzungsraum abgeurteilt |
| RICHTER | Wo befand sich dieser Sitzungsraum |
| ZEUGE 1 | In irgendeiner Baracke |
| RICHTER | Lag der Sitzungsraum nicht im Block Elf |
| ZEUGE 1 | Da bin ich überfordert |
| ZEUGE 6 | Ich war Schreiber im Block Elf |
|  | Bei dieser Tätigkeit erhielt ich Einblick |
|  | in die Arbeit des Standgerichts |
|  | Der Sitzungsraum befand sich vorne links |
|  | am Korridor des Block Elf |
| RICHTER | Wie sah dieser Raum aus |
| ZEUGE 6 | Da waren 4 Fenster zum Hof |
|  | und da stand ein langer Tisch |
| RICHTER | Herr Zeuge |
|  | Erinnern Sie sich an diesen Raum |
| ZEUGE 1 | Nein |
| RICHTER | Sind Sie nie im inneren Gebiet |
|  | des alten Lagers gewesen |
| ZEUGE 1 | Da bin ich überfordert |
| RICHTER | Sind Sie nie durch das Lagertor gegangen |
| ZEUGE 1 | Es ist möglich |
|  | Ich erinnere mich daß da |
|  | eine Musikkapelle spielte |
| RICHTER | Waren Sie nie im Hof von Block Elf |
| ZEUGE 1 | Vielleicht einmal |
|  | Da soll eine Mauer gewesen sein |
|  | Ich habe sie aber nicht mehr in Erinnerung |
| RICHTER | Eine schwarzgestrichene Mauer |

muß doch auffallen

ZEUGE 1 Ich habe keine Erinnerung

RICHTER Herr Zeuge
Sie waren also der Vorsitzende
War denn auch ein Verteidiger dabei

ZEUGE 1 Wenn einer gewünscht wurde

RICHTER Wurde mal einer gewünscht

ZEUGE 1 Es kam selten vor

RICHTER Und wenn es vorkam

ZEUGE 1 Dann wurde einer bestellt

RICHTER Wer war der Verteidiger

ZEUGE 1 Ein Beamter der Dienststelle

RICHTER Fanden verschärfte Vernehmungen statt

ZEUGE 1 Dazu bestand keine Veranlassung
Ich habe jedenfalls nichts
von verschärften Vernehmungen gehört
Die Tatbestände waren so klar
daß es keiner verschärften Vernehmung bedurfte

RICHTER Was waren die Tatbestände

ZEUGE 1 Es waren ausschließlich staatsfeindliche Handlungen

RICHTER Gestanden die Verhafteten

ZEUGE 1 Da gab es nichts zu leugnen

RICHTER Wie kam es zu den Geständnissen

ZEUGE 1 Durch Vernehmungen

RICHTER Wer führte die Vernehmungen aus

ZEUGE 1 Die Politische Abteilung

RICHTER Hatten Sie als Richter keine Bedenken
auf welche Art die Geständnisse
herbeigeführt wurden

ZEUGE 1 Ich kann nichts dafür
wenn der eine oder andere meiner Leute
seine Befugnisse überschritten hat
Ich habe meinen Mitarbeitern ständig eingeschärft
daß sie bei allen Verhandlungen
korrekt aufzutreten hatten

RICHTER Wurden bei den Vernehmungen Zeugen gehört

ZEUGE 1 In der Regel nicht
Wir fragten ob alles stimme
und sie sagten alle Ja

RICHTER   Sie hatten also nur Todesurteile auszusprechen

ZEUGE 1   Ja
Freisprüche gab es praktisch nicht
Verfahren wurden nur eröffnet
wenn alles klar war

RICHTER   Haben Sie niemals Anzeichen
bei den Beschuldigten erkannt
die auf unzulässige Behandlung
hätten schließen lassen

ZEUGE 1   Nein

RICHTER   Sind auch Frauen und Kinder
vor der Schwarzen Wand
erschossen worden

ZEUGE 1   Davon ist mir nichts bekannt

ZEUGE 6   Zwischen den Häftlingen
die zur Aburteilung durch das Standgericht
in den Block eingeliefert wurden
befanden sich zahlreiche Frauen und Minderjährige
Die Anklage lautete auf Schmuggel
oder Kontakt mit Partisanengruppen
Im Gegensatz zu den Lagerhäftlingen
die im Keller eingeschlossen waren
hielten sich die Polizeigefangenen
im Erdgeschoß des Blocks auf
Sie wurden einzeln in das Sitzungszimmer geführt
Der Richter verlas das Urteil
er nannte nur den Namen und sagte dann
Sie sind zum Tode verurteilt
Die meisten Verurteilten
verstanden die Sprache nicht
und wußten gar nicht
warum man sie verhaftet hatte
Vom Gerichtszimmer wurden sie sofort
zum Auskleiden in den Waschraum geführt
und von dort in den Hof gebracht

ANKLÄGER   Herr Zeuge
Wieviel Urteile hatten Sie
als Vorsitzender des Standgerichts
zu verlesen

| | |
|---|---|
| ZEUGE 1 | Daran kann ich mich nicht erinnern |
| ANKLÄGER | Wie oft wurden Sie |
| | zur Urteilssprechung einberufen |
| ZEUGE 1 | Das weiß ich nicht mehr |
| ANKLÄGER | Wie lange dauerte eine Sitzung |
| | des Standgerichts |
| ZEUGE 1 | Das kann ich nicht sagen |
| ANKLÄGER | Herr Zeuge |
| | Sie sind heute Leiter |
| | eines großen kaufmännischen Betriebes |
| | Als solcher müssen Sie gewohnt sein |
| | mit Ziffern und Zeitrechnungen umzugehn |
| | Wieviele Menschen |
| | wurden von Ihnen verurteilt |
| ZEUGE 1 | Das weiß ich nicht |
| ZEUGE 6 | Bei einer Sitzung des Standgerichts |
| | wurden im Durchschnitt |
| | 100 bis 150 Todesurteile verlesen |
| | Die Sitzung dauerte 1 1/2 bis 2 Stunden |
| | und fand alle 2 Wochen statt |
| ANKLÄGER | Herr Zeuge |
| | wieviele Menschen wurden Ihrer Schätzung nach insgesamt |
| | vor der Schwarzen Wand erschossen |
| ZEUGE 6 | Aus den Totenbüchern und unsern Aufzeichnungen geht hervor |
| | daß zusammen mit den gewöhnlichen Bunker-<br>leerunge |
| | annähernd 20 000 Menschen |
| | vor der Schwarzen Wand erschossen wurden |

II

| | |
|---|---|
| ZEUGE 7 | Im Herbst 1943 |
| | sah ich ganz früh morgens im Hof von Block Elf |
| | ein kleines Mädchen |
| | Es hatte ein rotes Kleid an |
| | und trug einen Zopf |

Es stand alleine und hielt die Hände
an der Seite
wie ein Soldat
Einmal bückte es sich
und wischte den Staub von den Schuhen
dann stand es wieder still
Da sah ich Boger in den Hof kommen
Er hielt das Gewehr
hinter seinem Rücken versteckt
Er nahm das Kind an der Hand
es ging ganz brav mit
und ließ sich mit dem Gesicht
gegen die Schwarze Wand stellen
Das Kind sah sich noch einmal um
Boger drehte ihm den Kopf wieder gegen die Wand
hob das Gewehr
und erschoß das Kind

VERTEIDIGER   Wie kann der Zeuge das gesehen haben

ZEUGE 7   Ich war dabei den Waschraum zu säubern
der sich gleich neben dem Hofausgang befand

RICHTER   Wie alt war das Kind

ZEUGE 7   6 bis 7 Jahre
Die Leichenträger sagten später
daß die Eltern des Kindes
ein paar Tage vorher
auch dort erschossen worden seien

ANGEKLAGTER 2   Herr Vorsitzender
Ich habe kein Kind erschossen
ich habe überhaupt niemanden erschossen

ZEUGE 3   Ich habe Boger oft vor der Schwarzen Wand gesehn
Ich höre noch wie er einem Häftling zuschreit
Kopf hoch
und ihm dann ins Genick schießt

RICHTER   Können Sie sich nicht getäuscht haben
und Boger mit einem andern verwechseln

ZEUGE 3   Wir alle kannten Boger
und seinen watschelnden Gang
Wir sahen ihn oft mit umgehängtem Gewehr
auf seinem Rad zum Block Elf fahren

Manchmal zog er einen Häftling
wie Hündchen an einer Schnur
hinter sich her

RICHTER Angeklagter Boger
wollen Sie Ihre Erklärung
nie im Lager geschossen zu haben
nicht noch einmal überdenken

ANGEKLAGTER 2 Ich bleibe bei meiner Aussage
heute und in tausend Jahren
Ich hätte nicht einmal Angst davor gehabt
einen Schuß abzugeben
denn das wäre nur Erfüllung
eines dienstlichen Befehls gewesen

ZEUGE 3 Jeden Mittwoch und Freitag waren Erschießungen
Ich habe gesehn wie Boger
am 14. Mai 1943
17 Häftlinge tötete
Ich merkte mir das Datum
denn mein Freund Berger war dabei
Er war vorher noch auf der Schaukel
zuschanden geschlagen worden
Berger schrie
Ihr Mörder ihr Verbrecher
da hat Boger ihn weggeschossen
Ein anderer lag vor ihm auf den Knien
dem schoß er ins Gesicht
Immer wenn es hieß
Der Boger ist im Haus
dann wußten wir was bevorstand
Boger wurde bei uns
Der Schwarze Tod genannt

ANGEKLAGTER 2 Ich habe noch viele andere Spitznamen gehabt
Wir alle haben Spitznamen gehabt
Das beweist noch nichts

RICHTER Angeklagter Boger
Es ist in diesem Prozeß wiederholt
von Zeugen ausgesagt worden
daß Sie im Lager
Menschen getötet haben

                        Sind Sie der Meinung
                        daß alle diese Aussagen erfunden sind
ANGEKLAGTER 2   Ich war des öfteren
                        bei Erschießungen zugegen
                        Es ist anzunehmen
                        daß die Zeugen mich mit anderen verwechseln
                        Der Boger wurde geschnappt
                        das ist ja klar
                        daß sich der ganze Haß
                        auf mich auslädt
RICHTER   Haben Sie in keinem
                        einzigen Fall geschossen
ANGEKLAGTER 2   Ich habe
                        einmal
RICHTER   Sie haben einmal
                        geschossen
ANGEKLAGTER 2   Das war ein Einzelfall
                        wo ich behelfsmäßig
                        an einer Erschießung teilnahm
RICHTER   Wie ging das vor sich
ANGEKLAGTER 2   Bei einer Bunkerentleerung
                        befahl Grabner einmal
                        Es schießt weiter
                        der Oberscharführer Boger
RICHTER   Wie oft schossen Sie
ANGEKLAGTER 2   Zweimal
                        in einem einzigen Fall
                        Später habe ich mich geweigert
                        an solchen Dingen teilzunehmen
                        Ich habe gesagt
                        Entweder bin ich hier
                        oder ich arbeite im Erkennungsdienst
                        Beides zusammen
                        kann ich nicht verkraften
RICHTER   Was waren das für Menschen
                        die Sie damals zu erschießen hatten
ANGEKLAGTER 2   Sie gehörten zu einem Transport
                        der erkennungsdienstlich
                        nicht verarbeitet worden war

| | |
|---|---|
| RICHTER | Das heißt |
| | es wurde garnicht daran gedacht |
| | daß diese Leute überleben könnten |
| ANGEKLAGTER 2 | Das glaube ich auch |
| RICHTER | Angeklagter Boger |
| | Warum haben Sie bisher immer gesagt |
| | daß kein Mensch im Lager |
| | durch Sie zu Tode gekommen sei |
| ANGEKLAGTER 2 | Herr Präsident |
| | Wenn eine solche Fülle auf mich zukommt |
| | dann ist es unmöglich |
| | sich von Anfang an festzulegen |
| RICHTER | Und Sie bleiben dabei |
| | nur in zwei Fällen geschossen zu haben |
| | und dabei |
| | daß nie jemand nach verschärften Vernehmungen |
| | gestorben ist |
| ANGEKLAGTER 2 | Ja |
| | Das ist beim heiligen Eide wahr |
| RICHTER | Herr Zeuge |
| | Wann hatten Sie sich |
| | als Mitglied des Leichenträger-Kommandos |
| | im Hof des Block Elf einzufinden |
| ZEUGE 3 | Wir wurden etwa eine Stunde vor der Exekution |
| | angefordert |
| RICHTER | Wo waren Sie stationiert |
| ZEUGE 3 | Im Ambulanzblock |
| RICHTER | Wo lag der Ambulanzblock |
| ZEUGE 3 | Gegenüber dem Bunkerblock |
| | auf der vorderen rechten Seite des Lagers |
| RICHTER | Wie wurden Sie gerufen |
| ZEUGE 3 | Ein Schreiber von Block Elf kam angelaufen |
| | Er rief |
| | Leichenträger |
| | Eine Tragbahre |
| | zwei Tragbahren |
| | Wenn er eine Bahre rief wußten wir |
| | es wird eine kleine Hinrichtung |
| | Wenn mehrere Bahren angefordert wurden |

|          | gab es eine große Hinrichtung |
| RICHTER  | Wo stand der Schreiber |
| ZEUGE 3  | Er blieb im Gang stehn |
|          | und wir vom Leichenkommando liefen zu ihm |
|          | Nachdem der Schreiber gesagt hatte |
|          | wieviel Träger benötigt wurden |
|          | bestimmte der Kapo |
|          | welche Träger gehen sollten |
| RICHTER  | Wohin mußten Sie sich dann begeben |
| ZEUGE 3  | Nachdem die Sirene Lagersperre |
|          | angekündigt hatte |
|          | betraten wir durch das Tor |
|          | den Hof des Block Elf |
|          | Wir hatten uns gleich neben dem Tor aufzustellen |
|          | und uns mit den Bahren bereitzuhalten |
| RICHTER  | Was waren das für Bahren |
| ZEUGE 3  | Zelttuch mit Holzstangen |
|          | und Metallfüßen daran |
| RICHTER  | War ein Arzt zugegen |
| ZEUGE 3  | Nur bei großen Exekutionen |
|          | war ein Arzt dabei |
|          | Sonst waren dort nur die Herren |
|          | der Politischen Abteilung |
| RICHTER  | Wo warteten die Häftlinge |
|          | die zur Exekution bestimmt waren |
| ZEUGE 3  | Sie warteten im Waschraum |
|          | und im Gang davor |
| RICHTER  | Was für Vorbereitungen wurden getroffen |
| ZEUGE 3  | Wenn die Häftlinge aus dem Keller kamen |
|          | mußten sie ihre Kleider im Waschraum |
|          | oder im Flur ablegen |
|          | Sie bekamen ihre Nummern |
|          | mit einem angefeuchteten Anilinstift |
|          | auf die Brust geschrieben |
|          | Der Häftlingsschreiber überprüfte die Nummern |
|          | und strich dann die Nummern derjenigen |
|          | die auf den Hof geführt wurden |
|          | auf der Liste ab |
| RICHTER  | Wie lautete der Befehl |

der die Verurteilten hinausrief

ZEUGE 3 Der Befehl hieß
Ab
Da lief der Bunkerjakob mit den ersten hinaus
Sobald sie an der Wand standen
wurde auch uns der Befehl zugerufen
Ab
und wir liefen mit unserer Bahre los

RICHTER Wer gab Ihnen den Befehl

ZEUGE 3 Entweder der Arzt
oder einer der Offiziere

RICHTER Waren die Häftlinge schon erschossen
als Sie ankamen

ZEUGE 3 Meistens war der erste gefallen
und der zweite fiel gleich danach
Manchmal dauerte es länger
dann stellten wir uns hinter den Männern
die exekutierten
auf

RICHTER Warum dauerte es manchmal länger

ZEUGE 3 Es kam
daß es Ladehemmungen gab
da warteten wir während der Mann
an seinem Gewehr bastelte

RICHTER Wie benahmen sich die Häftlinge
die getötet werden sollten

ZEUGE 3 Einige beteten
andere hörte ich nationale
oder religiöse Lieder singen
Nur einmal
als eine Frau zu schreien begann
wurde befohlen
Knallt erst mal die Verrückte ab

RICHTER Wie schafften Sie die Gefallenen fort

ZEUGE 3 Sowie sie in den Sand gefallen waren
der vor der Wand gestreut war
packten wir sie an den Händen und Beinen
und legten den ersten rücklings auf die Bahre
und den anderen umgekehrt darüber

so daß er mit dem Gesicht
zwischen den Beinen des unteren lag
Dann rannten wir nach vorn zur Abflußrinne
und kippten die Toten aus

RICHTER Wo befand sich diese Rinne

ZEUGE 3 Am Saumstein der linken Hofseite

RICHTER Was geschah dann

ZEUGE 3 Während wir mit der Bahre
zur Abladestelle rannten
lief Jakob schon mit den beiden nächsten
zur Wand
und die beiden andern Träger liefen
mit ihrer Bahre hinterher
Wir legten die Toten in mehreren Schichten
übereinander und zwar so
daß die Köpfe über der Rinne lagen
zum Abfluß des Bluts

RICHTER Waren die Häftlinge die erschossen wurden
gleich tot

ZEUGE 3 Es kam vor, daß der Schuß
nur ins Ohr oder ins Kinn ging
und sie lebten noch
wenn sie weggetragen wurden
Dann mußten wir die Bahre absetzen
und der Verwundete bekam noch einen
Schuß in den Kopf
Der Arrestaufseher Schlage
sah sich die Abgeladenen immer
noch einmal an
und wenn einer sich noch regte
ließ er ihn aus dem Haufen ziehn
und gab ihm den Fangschuß
Einmal sagte Schlage zu einem der noch lebte
Steh auf
Ich sah
wie der Angeschossene aufstehen wollte
Da sagte Schlage
Bleib liegen
und er schoß ihm ins Herz

und in beide Schläfen
Aber der Mann lebte immer noch
Ich weiß nicht wieviele er noch bekam
zuerst einen Schuß in den Hals
da kam schwarzes Blut heraus
Schlage sagte
Der hat ein Leben wie eine Katze

RICHTER Angeklagter Schlage
Was haben Sie dazu zu sagen

ANGEKLAGTER 14 Das ist mir ein Rätsel
Dazu kann ich überhaupt nichts sagen


III


ZEUGE 7 Schlage sah ich einmal im Waschraum
mit einer eingelieferten Familie
Der Mann mußte vor ihm in die Hocke gehn
und Schlage schoß ihn in den Kopf
Dann kam das Kind an die Reihe
und dann die Frau
Auf das Kind mußte er mehrmals schießen
Es schrie und war nicht sofort tot

VERTEIDIGER Warum schoß er denn im Waschraum
wenn die Hinrichtungswand
sich gleich nebenan befand

ZEUGE 7 Kleinere Erschießungen
wurden der Einfachheit halber
oft im Waschraum durchgeführt
Dann wurde die Duschleitung angestellt
und das Blut vom Boden geschwemmt

VERTEIDIGER Herr Zeuge
wie sah der Waschraum aus

ZEUGE 7 Es war ein kleiner Raum mit einem Fenster
vor dem eine Decke hing
Die untere Hälfte des Raums war geteert
die obere weiß gestrichen
An den Ecken waren dicke schwarze Rohre
Mitten durch den Raum

in etwa 2 Meter Höhe
lief eine perforierte Duschleitung

RICHTER Angeklagter Schlage
bleiben Sie immer noch dabei
daß Sie keinen Menschen erschossen haben

ANGEKLAGTER 14 Ich bestreite auf das Bestimmteste
was mir hier vorgeworfen wird
Ich habe in keinem Falle
an Tötungen teilgenommen

ZEUGE 7 In den Waschraum wurden auch die Toten gebracht
aus denen Fleisch geschnitten wurde

RICHTER Was meinen Sie damit

ZEUGE 7 Im Sommer 1944 sah ich die ersten
dieser verstümmelten Toten
Da wurde ein Mann abgeladen
der mir schon aufgefallen war
als er sich zur Exekution auskleidete
Es war ein Riese
Ich sah ihn dann im Waschraum liegen
Da waren Männer in weißen Mänteln
und mit Chirurgenbestecken
Es war ihm Fleisch aus dem Bauch
geschnitten worden
Zuerst glaubten wir
er habe etwas verschluckt
und sie holten es wieder heraus
aber danach geschah es öfter
daß den Leichen Fleisch entnommen wurde
Später geschah es vorwiegend
an stärkeren Frauen

ZEUGE 3 Einmal hatten wir 70 Frauenleichen
abzuholen
Die Brüste waren ihnen entfernt worden
und am Unterleib und an den Schenkeln
hatten sie tiefe Schnitte
Sanitäter verluden Gefäße mit Menschenfleisch
auf ein Motorrad mit Beiwagen
Wir hatten die Leichen auf der Fuhre
mit Brettern zu verdecken

ZEUGE 4    Im Versuchsblock Zehn
sah ich durch eine Ritze der Fensterverschalung
die Leichen unten im Hof
Wir hatten ein Summen gehört
Das waren die Fliegenschwärme
Der Boden des Hofs war voll Blut
Und dann sah ich
wie die Henker rauchend und lachend
über den Hof gingen
*zeigt auf die Angeklagten*

VERTEIDIGER    Diese Beleidigungen unserer Mandanten
können wir nicht durchgehen lassen
Wir wünschen
sie protokolliert zu haben
*Die Angeklagten äußern ihre Empörung*

# 8  Gesang vom Phenol

I

ZEUGE 8  Den Sanitätsdienstgrad Klehr
beschuldige ich der tausendfachen
eigenmächtigen Tötung
durch Phenolinjektionen ins Herz

ANGEKLAGTER 9  Das ist Verleumdung
Nur in einigen Fällen
hatte ich Abspritzungen zu überwachen
und dies auch nur
mit größtem Widerwillen

ZEUGE 8  Jeden Tag wurden auf der Krankenstation
mindestens 30 Häftlinge getötet
Manchmal waren es bis zu 200

RICHTER  Wo wurden die Injektionen gegeben

ZEUGE 8  Im Infektionsblock nebenan
das war Block Zwanzig

RICHTER  Wo lag Block Zwanzig

ZEUGE 8  Rechts in der mittleren Blockreihe
neben dem abschließenden Block Einundzwanzig
dem Häftlingskrankenbau
Als Häftlingspfleger hatte ich
die ausgesonderten Kranken
über den Hof
in den Injektionsblock zu leiten

RICHTER  War der Hof abgeschlossen

ZEUGE 8  Nur durch zwei niedrige Eisengitter

RICHTER  Auf welche Weise
wurden die Häftlinge hinübergeführt

ZEUGE 8  Soweit sie des Gehens fähig waren
gingen sie im Hemd oder halbnackt
über den Hof
Die Decke und ihre Holzsandalen
hielten sie über dem Kopf
Viele Kranke mußten gestützt oder getragen werden
Sie traten durch die seitliche Tür
in Block Zwanzig ein

| | |
|---|---|
| RICHTER | In welchem Raum |
| | wurden die Injektionen gegeben |
| ZEUGE 8 | Im Zimmer Eins |
| | Das war das Arztzimmer |
| | Es lag am Ende des Mittelgangs |
| RICHTER | Wo warteten die Häftlinge |
| ZEUGE 8 | Sie hatten sich im Korridor aufzustellen |
| | Die Schwerkranken lagen auf dem Boden |
| | Zu zweit rückten sie ins Arztzimmer vor |
| | Der Arzt Dr. Entress übergab Klehr |
| | ein Drittel der Patienten |
| | Dies war Klehr nicht genug |
| | Wenn der Arzt gegangen war |
| | nahm Klehr noch nachträgliche Aussonderungen vor |
| RICHTER | Haben Sie das selbst gesehen |
| ZEUGE 8 | Ja das habe ich selbst gesehen |
| | Klehr liebte die abgerundeten Zahlen |
| | Wenn ihm eine Schlußzahl nicht gefiel |
| | suchte er sich die fehlenden Opfer |
| | in den Krankenräumen zusammen |
| | Er sah sich die Fieberkurven an |
| | die auf seine Anweisung genau |
| | geführt werden mußten |
| | und nahm danach seine Auswahl vor |
| RICHTER | Welches waren die runden Zahlen |
| | die Klehr liebte |
| ZEUGE 8 | Von 23 etwa auf 30 |
| | von 36 auf 40 |
| | und so weiter |
| | Er befahl den ausgesuchten Kranken |
| | ihm zu folgen |
| RICHTER | Wie lautete dieser Befehl |
| ZEUGE 8 | Du kommst mit |
| | du kommst mit |
| | du kommst mit |
| | und du |
| ANGEKLAGTER 9 | Herr Vorsitzender |
| | Diese Behauptung ist unwahr |
| | Zum Selektieren war ich nicht ermächtigt |

RICHTER    Was hatten Sie denn zu tun
ANGEKLAGTER 9    Ich hatte nur dafür zu sorgen
daß die richtigen Häftlinge rüberkamen
RICHTER    Und was taten Sie
beim Ausgeben der Injektionen
ANGEKLAGTER 9    Das möchte ich auch mal wissen
Ich stand da nur rum
Die Behandlungen wurden
von Funktionshäftlingen ausgeführt
Ich hielt mich da fern
Ich ließ mich von den verseuchten Kranken
doch nicht anhauchen
RICHTER    Was hatten Sie für Aufgaben
als Sanitätsdienstgrad im Krankenblock
ANGEKLAGTER 9    Ich war verantwortlich
a  für die Ordnung und Sauberkeit
b  für die Registrierung
c  für die Verpflegung der Patienten
RICHTER    Wie war die Verpflegung
ANGEKLAGTER 9    In der Diätküche wurde Milchsuppe
für die Frischoperierten gekocht
RICHTER    Wieviele Häftlinge lagen im Krankenbau
ANGEKLAGTER 9    Laufend waren dort etwa
500 bis 600 Kranke
RICHTER    Wie waren die Kranken untergebracht
ANGEKLAGTER 9    Sie lagen auf dreistöckigen Pritschen
RICHTER    Wie wurden sie registriert
ANGEKLAGTER 9    Jede Krankmeldung wurde
karteimäßig erfaßt
Ferner wurden die Aussonderungen
zwischen den Arztvorstellern verbucht
RICHTER    Was waren Arztvorsteller
ANGEKLAGTER 9    Häftlinge
deren Gesundheitszustand kritisch war
RICHTER    Wie wurden die Aussonderungen vorgenommen
ANGEKLAGTER 9    Der Lagerarzt sah sich den Häftling an
und die Karteikarte mit der Diagnose
Wenn er die Karte nicht mehr
an den Häftlingsarzt zurückgab

                              sondern an den Häftlingsschreiber
                              dann bedeutete dies
                              daß der Häftling zur Injektion
                              bestimmt worden war
RICHTER          Was geschah darauf
ANGEKLAGTER 9    Die Karten wurden auf einem Tisch aufgehäuft
                              und verarbeitet
RICHTER          Was bedeutet verarbeitet
ANGEKLAGTER 9    Der Häftlingsschreiber hatte
                              nach den Karteikarten eine Liste anzufertigen
                              Die Liste wurde den Sanitätsdienstgraden übergeben
                              Nach dieser Liste hatten wir
                              die Kranken abzuführen
ZEUGE 8          Weihnachten 1942
                              kam Klehr zu uns in den Krankenraum
                              und sagte
                              Ich bin heute der Lagerarzt
                              Ich nehme heute die Arztvorsteller entgegen
                              Mit der Spitze seiner Pfeife
                              deutete er auf 40 von ihnen
                              und bestimmte sie für die Injektion
                              Nach Weihnachten
                              wurde für den Sanitätsdienstgrad Klehr
                              eine Zusatzration angeordnet
                              Ich sah dieses Schreiben
                              Da stand
                              Für die am 24. 12. 1942 ausgeführte
                                                          Sonderbehandlung
                              werden angefordert
                              ein fünftel Liter Schnaps
                              5 Zigaretten und 100 Gramm Wurst
ANGEKLAGTER 9    Das ist ja lächerlich
                              Weihnachten fuhr ich jedesmal auf Heimaturlaub
                              Das kann meine Frau bezeugen
RICHTER          Angeklagter Klehr
                              Wollen Sie daran festhalten
                              daß Sie an keiner Aussonderung
                              und Tötung durch Phenol
                              teilgenommen haben

ANGEKLAGTER 9  Ich hatte nur gegebene Anordnungen
zu überwachen

RICHTER  Fanden Sie diese Anordnungen
in jedem Falle richtig

ANGEKLAGTER 9  Anfangs fand ich es erstaunlich
als ich davon hörte
daß Kranke von Funktionshäftlingen
abgespritzt wurden
Aber dann verstand ich
daß sie unheilbar waren
und das ganze Lager gefährdeten

RICHTER  Wie wurden die Injektionen gegeben

ANGEKLAGTER 9  Der Funktionshäftling Peter Werl
vom Ambulanzblock
und einer der Felix hieß
verabreichten die Injektionen
Während der ersten Zeit
wurden sie in die Armvene gegeben
Die Venen der Häftlinge waren aber
auf Grund der Auszehrung
schwer zu treffen
Deshalb wurde das Phenol später
direkt ins Herz injiziert
Die Spritze war noch nicht ganz geleert
da war der Mann schon tot

RICHTER  Haben Sie sich nie geweigert
bei diesen Behandlungen dabei zu sein

ANGEKLAGTER 9  Dann wäre ich an die Wand gestellt worden

RICHTER  Haben Sie nie dem Arzt
Ihre Bedenken ausgedrückt

ANGEKLAGTER 9  Das habe ich mehrmals getan
Aber man sagte mir nur
daß ich meine Pflicht zu erfüllen habe

RICHTER  Konnten Sie sich nicht
zu einem andern Dienst versetzen lassen

ANGEKLAGTER 9  Herr Präsident
Wir waren doch alle in der Zwangsjacke
Wir waren doch genau solche Nummern
wie die Häftlinge

|                |                                                      |
| -------------: | ---------------------------------------------------- |
|                | Für uns begann der Mensch erst                       |
|                | beim Akademiker                                      |
|                | Wir hätten es mal wagen sollen                       |
|                | etwas in Frage zu stellen                            |
|        RICHTER | Wurden Sie nie gezwungen                             |
|                | selbst eine Spritze zu geben                         |
|   ANGEKLAGTER 9 | Einmal als ich mich beschwerte                       |
|                | sagte der Arzt zu mir                                |
|                | In Zukunft werden Sie das selbst machen              |
|        RICHTER | Und da nahmen Sie selbst                             |
|                | Aussonderungen und Tötungen vor                      |
|   ANGEKLAGTER 9 | In einigen Fällen ja                                 |
|                | gezwungenermaßen                                     |
|        RICHTER | Wie oft mußten Sie Spritzen geben                    |
|   ANGEKLAGTER 9 | Gewöhnlich zweimal in der Woche                      |
|                | und zwar an etwa 12 bis 15 Mann                      |
|                | Ich war aber nur 2 bis 3 Monate dabei                |
|        RICHTER | Das wären mindestens                                 |
|                | 200 Getötete                                         |
|   ANGEKLAGTER 9 | 250 bis 300 können es gewesen sein                   |
|                | Ich weiß nicht mehr so genau                         |
|                | Es war Befehl                                        |
|                | Ich konnte nichts dagegen tun                        |
|         ZEUGE 8 | Der Sanitätsdienstgrad Klehr                         |
|                | war an der Tötung                                    |
|                | von mindestens 16 000 Häftlingen                     |
|                | beteiligt                                            |
|   ANGEKLAGTER 9 | Da biegen sich ja die dicksten Eichenbalken          |
|                | 16 000 soll ich abgespritzt haben                    |
|                | wo doch das ganze Lager nur 16 000 Mann zählte       |
|                | Da wäre ja nur noch der Musikzug übriggebliebe       |
|                | *Die Angeklagten lachen*                             |

II

|                |                                                      |
| -------------: | ---------------------------------------------------- |
|        RICHTER | Angeklagter Klehr                                    |
|                | Wie haben Sie die Häftlinge getötet                  |
|   ANGEKLAGTER 9 | So wie es vorgeschrieben war                         |

mit einer Phenolspritze in den Herzmuskel
Aber ich tat es ja nicht allein

RICHTER Wer war noch dabei

ANGEKLAGTER 9 Daran kann ich mich nicht erinnern

ZEUGE 9 An den Tötungen mit Phenol
beteiligten sich die Angeklagten
Scherpe und Hantl
Sie verhielten sich jedoch anders als Klehr
Sie waren höflich zu uns
und sagten Guten Morgen
wenn sie auf den Block kamen
und wenn sie gingen sagten sie
Auf Wiedersehn
Klehr sahen wir oft wüten
Scherpe dagegen war ruhig und zuvorkommend
er hatte eine nette Art
die Menschen zu behandeln
Ich habe Scherpe nie schlagen
und um sich treten gesehn
Die zu ihm kamen hatten oft Vertrauen zu ihm
und glaubten sie würden nur
für ihre Krankheit behandelt

RICHTER Herr Zeuge
Sie gehörten zu den Häftlingsärzten im Krankenblock
Was können Sie uns über den Beginn
der Phenolinjektionen sagen

ZEUGE 9 Es war Lagerarzt Dr. Entress
der mit den Injektionen begann
Zuerst tat er es mit Benzin
doch das stellte sich als unpraktisch heraus
da es vorkam daß der Tod
erst nach einer dreiviertel Stunde eintrat
Man suchte nach einem schnelleren Mittel
Das zweite war Wasserstoff
Dann kam Phenol

RICHTER Wen sahen Sie bei der Ausgabe
dieser Injektionen

ZEUGE 9 Zuerst Dr. Entress selbst
dann Scherpe und Hantl

|  | Hantl hat es selten getan |
|  | Wir hielten ihn für einen anständigen Menschen |
| RICHTER | Haben Sie gesehen |
|  | daß Klehr tötete |
| ZEUGE 9 | Selbst habe ich es nicht gesehn |
|  | Die beiden Häftlinge Schwarz und Gebhard |
|  | die während der Injektionen |
|  | die Opfer festhalten mußten |
|  | erzählten mir davon |
|  | Aber wir haben uns nicht lange |
|  | darüber aufgehalten |
|  | es war solch ein alltägliches Ereignis |
| VERTEIDIGER | Herr Zeuge |
|  | Sie nennen andere Namen |
|  | im Zusammenhang mit diesen Funktionshäftlingen |
|  | Hießen die Häftlinge nicht Werl und Felix |
| ZEUGE 9 | Es waren mehrere Funktionshäftlinge |
|  | die diesen Dienst auszuführen hatten |
| VERTEIDIGER | Führten diese Funktionshäftlinge |
|  | nicht auch die Tötungen aus |
| ZEUGE 9 | Anfangs mußten sie das tun |
| VERTEIDIGER | Die Häftlinge wurden also |
|  | von ihren Eigenen umgebracht |
| ANKLÄGER | Wir protestieren |
|  | gegen diese Taktik der Verteidigung |
|  | die den Häftlingen Handlungen vorwirft |
|  | die sie unter Todesdrohung auszuführen hatten |
| VERTEIDIGER | Dieser Bedrohung unterlagen auch |
|  | die Mannschaften des Lagers |
| ANKLÄGER | Es ist in keinem Fall erwiesen |
|  | daß demjenigen der sich weigerte |
|  | bei Tötungen mitzuwirken |
|  | etwas geschehen wäre |
| VERTEIDIGER | Strafrechtlich ist ein Untergebener |
|  | nur verantwortlich |
|  | wenn ihm bekannt gewesen ist |
|  | daß der Befehl seines Vorgesetzten |
|  | eine Handlung betrifft |
|  | welche ein bürgerliches oder militärisches |

Verbrechen bezweckt
Unsere Mandanten handelten im besten Glauben
und nach dem Grundsatz der unbedingten
Gehorsamspflicht
Mit ihrem Treueeid bis in den Tod
haben sie sich alle der Zielsetzung
der damaligen Staatsführung gebeugt
so wie es die Verwaltung Justiz und Wehrmacht
getan hat

ANKLÄGER  Wir wiederholen daß ein jeder
der den verbrecherischen Zweck des Befehls
erkannte
die Möglichkeit hatte
sich versetzen zu lassen
Wir kennen die Gründe
weswegen sie sich nicht versetzen ließen
An der Front
wäre ihr eigenes Leben gefährdet gewesen
so blieben sie dort
wo sie nur wehrlose Gegner hatten

RICHTER  Wir rufen als Zeugen auf
einen der ehemaligen
befehlsführenden Lagerärzte
Herr Zeuge
hatten Sie dienstlich mit den Angeklagten
Klehr, Scherpe und Hantl zu tun

ZEUGE 2  Ich kam mit diesen Herren
nicht in Berührung

RICHTER  Waren Sie nicht ihr Vorgesetzter

ZEUGE 2  Ihr Vorgesetzter war ausschließlich
der Standortarzt
Ich hatte nur Schreibarbeiten auszuführen

RICHTER  Herr Zeuge
Was für einen ärztlichen Rang hatten Sie
bei Ihrer Einberufung ins Lager

ZEUGE 2  Ich war Universitätsprofessor

RICHTER  Und mit Ihrer hohen Fachausbildung
hatten Sie nur Schreibstubendienst
zu leisten

| | |
|---|---|
| ZEUGE 2 | Zeitweise war ich auch |
| | in der Pathologie tätig |
| RICHTER | Hatten Sie keine Häftlinge |
| | für den Angeklagten Klehr auszusuchen |
| ZEUGE 2 | Davor habe ich mich geweigert |
| RICHTER | Waren Sie nie bei Aussonderungen dabei |
| ZEUGE 2 | Nur als Begleiter des zuständigen Arztes |
| ANKLÄGER | Herr Zeuge |
| | ist Ihnen bekannt |
| | daß denjenigen |
| | die an den Aktionen beteiligt waren |
| | Sonderrationen zugesprochen wurden |
| ZEUGE 2 | Ich finde es menschlich verständlich |
| | daß den Leuten für ihre schwere Arbeit |
| | Rationen von Schnaps |
| | und Zigaretten erteilt wurden |
| | Es war ja Krieg |
| | und Schnaps und Zigaretten waren knapp |
| | da waren sie hinterher |
| | Die Bons sammelte man |
| | und dann ging man mit der Flasche hin |
| ANKLÄGER | Sie auch |
| ZEUGE 2 | Ja |
| | da ging jeder hin |
| ANKLÄGER | Wie verhielten Sie sich |
| | angesichts der Aussonderungen |
| VERTEIDIGER | Wir protestieren gegen diese Frage |
| | Der Zeuge hat seine Strafe |
| | bereits abgebüßt |
| | und der Prozeß kann ihm ja |
| | nicht noch einmal gemacht werden |
| ZEUGE 2 | Ich betrachte mich heute noch |
| | als unschuldig |
| | Es wurden damals nur Kranke ausgesucht |
| | die sowieso nicht mehr leben konnten |
| ANKLÄGER | Herr Zeuge |
| | Sahen Sie mit Ihrer ärztlichen Ausbildung |
| | keine anderen Möglichkeiten |
| ZEUGE 2 | Nicht beim damaligen Stand der Dinge |

Tausende unserer eigenen Soldaten
verbluteten an der Front
und in den zerbombten Städten
litten die Menschen

ANKLÄGER   Herr Zeuge
Hier handelte es sich um Menschen
die ohne eigenes Verschulden
gefangen gehalten
und ermordet wurden
Darüber müssen Sie sich
klargewesen sein

ZEUGE 2   Ich konnte da gar nichts tun
Schon bei meiner Ankunft
sagte der Truppenarzt zu mir
Wir befinden uns hier
am Arsch der Welt
und wir haben danach zu handeln

ANKLÄGER   Herr Zeuge
Waren Sie bei Injektionen zugegen

ZEUGE 2   Ja
da mußte ich mal hingehn

ANKLÄGER   Was sahen Sie da

ZEUGE 2   Klehr zog sich einen Arztmantel an
und sagte zu einem Mädchen
Du bist herzkrank
du mußt eine Spritze haben
Dann kam der Stoß
und da bin ich weggelaufen

ANKLÄGER   War Klehr allein

ZEUGE 2   Ja

ANKLÄGER   Wurde die Frau nicht festgehalten

ZEUGE 2   Nein

ANKLÄGER   Herr Zeuge
das Gericht ist im Besitz Ihres Tagebuchs
das Sie im Lager schrieben
Hier ist zunächst zu lesen
Heute gabs zum Mittag Hasenbraten
eine ganz dicke Keule
mit Mehlklößen und Rotkohl

|  | Dann steht da |
| | 6 Frauen von Klehr abgeimpft |
| ZEUGE 2 | Das muß ich wohl gehört haben |
| ANKLÄGER | Wir lesen weiter |
| | Bei wunderschönem Wetter |
| | eine Radtour gemacht |
| | Dann |
| | Bei 11 Exekutionen zugegen |
| | 3 Frauen die ums Leben flehten |
| | Lebendfrisches Material von Leber |
| | Milz und Pankreas nach Pilocarpininjektionen |
| | entnommen |
| | Was bedeutet das |
| ZEUGE 2 | Ich hatte auf Befehl |
| | Obduktionen vorzunehmen |
| | Diese Arbeit stand einzig im Dienst |
| | an der Wissenschaft |
| | Mit den Tötungen hatte ich nichts zu tun |
| ANKLÄGER | Hatten Sie die Menschen |
| | denen Sie Fleisch entnahmen |
| | vor der Tötung |
| | zur Obduktion bestimmt |
| VERTEIDIGER | Wir protestieren |
| | und erinnern nochmals daran |
| | daß der Zeuge bereits |
| | seine Strafe beglichen hat |
| ANKLÄGER | Herr Zeuge |
| | Warum benutzten Sie Menschenfleisch |
| | für Ihre Untersuchungen |
| ZEUGE 2 | Weil die Wachmannschaften |
| | das Rind- und Pferdefleisch |
| | das wir für bakteriologische Versuche |
| | geliefert bekamen |
| | aufaßen |
| RICHTER | Wo wurde das Phenol |
| | das zur Abimpfung benützt wurde |
| | aufbewahrt |
| ZEUGE 3 | Das Phenol wurde in der Apotheke aufbewahrt |
| RICHTER | Wo befand sich die Apotheke |

ZEUGE 3   In den Dienstgebäuden außerhalb des Lagers

RICHTER   Wem unterstand die Apotheke

ZEUGE 3   Dem Dr. Capesius

RICHTER   Wer holte das Phenol ab

ZEUGE 3   Die Anforderung
die von Klehr geschrieben war
wurde Dr. Capesius in der Apotheke
von einem Läufer der Krankenabteilung übergeben
Dieser empfing darauf das Phenol

RICHTER   Angeklagter Dr. Capesius
Was können Sie dazu sagen

ANGEKLAGTER 3   Von derartigen Bestellungen
weiß ich nichts

RICHTER   War Ihnen bekannt
daß Menschen im Lager
durch Phenol getötet wurden

ANGEKLAGTER 3   Davon habe ich erst jetzt erfahren

RICHTER   Verwahrten Sie Phenol in der Apotheke

ANGEKLAGTER 3   Ich habe dort keine größeren Mengen gesehn

ZEUGE 3   Das Phenol wurde in einem gelben Schrank
in der Ecke des Ausgaberaums aufbewahrt
Später befanden sich auch größere Korbflaschen
im Keller

VERTEIDIGER   Herr Zeuge
woher wissen Sie das

ZEUGE 3   Ich hatte Dienst in der Apotheke
Da sah ich die vorgedruckten Formulare
für die Neuanforderungen
Sie waren von Dr. Capesius ausgefüllt
und unterzeichnet
Es war gereinigtes Phenol dabei
Jedoch weiß ich heute nicht mehr
ob die Worte PRO INJECTIONE dabeistanden

RICHTER   Welche Mengen wurden angefordert

ZEUGE 3   Zuerst kleine Mengen
Später 2 bis 5 Kilogramm im Monat

RICHTER   Wozu wird Phenol im allgemeinen
als Arzneimittel verwendet

ZEUGE 3   Mit Glyzerin benutzt man es als Ohrentropfen

| | |
|---|---|
| ANGEKLAGTER 3 | Das war auch die Bestimmung des Phenols |
| | unter meiner Aufsicht |
| RICHTER | 2 bis 5 Kilogramm Phenol im Monat |
| | das Kilogramm zu 1000 Gramm |
| | und auf ein Gramm gehen mehrere Tropfen |
| | Da hätte man ja eine ganze Armee |
| | an den Ohren heilen können |
| | *Die Angeklagten lachen* |
| RICHTER | Angeklagter Capesius |
| | Wollen Sie immer noch behaupten |
| | daß Sie kein Phenol für Injektionen |
| | in der Apotheke gesehen haben |
| ANGEKLAGTER 3 | Ich habe weder größere Mengen |
| | Phenol gesehen |
| | noch habe ich gewußt |
| | daß Menschen damit getötet wurden |
| RICHTER | Wem wurde das abgeholte Phenol übergeben |
| ZEUGE 3 | Dem diensthabenden Arzt |
| | der es weitergab an die Sanitäter |
| | im Arztzimmer |

III

| | |
|---|---|
| RICHTER | Wie sah das Arztzimmer aus |
| ZEUGE 6 | Es war ein weißgestrichener Raum |
| | Die Fenster zur Hofseite |
| | waren überkalkt |
| RICHTER | Wie war die Einrichtung des Zimmers |
| ZEUGE 6 | Da waren ein paar Spinde und Schränke |
| | und dann war da der Vorhang |
| | mit dem das Zimmer abgeteilt war |
| RICHTER | Was war das für ein Vorhang |
| ZEUGE 6 | Er war etwa 2 Meter hoch |
| | und reichte nicht ganz bis zur Decke |
| | Der Stoff war von graugrüner Farbe |
| | Davor saß der Schreiber |
| | der die hereingeführten Kranken |
| | abzuhaken hatte |

RICHTER  Was war hinter dem Vorhang

ZEUGE 6  Da stand ein kleiner Tisch
und da waren ein paar Hocker
An der Wand waren Haken
daran hingen Gummischürzen
und rosa Gummihandschuhe

VERTEIDIGER  Herr Zeuge
Woher haben Sie Ihre Kenntnisse

ZEUGE 6  Ich gehörte zu den Leichenträgern
Wir befanden uns im anschließenden Waschraum
Die Tür stand offen
und wir konnten alles sehen

RICHTER  Was geschah mit den Häftlingen
die zur Phenolinjektion
bestimmt worden waren

ZEUGE 6  Sie wurden vom Korridor aus
zu zweit in das Arztzimmer geführt
Einer der beiden Funktionshäftlinge
die hinter dem Vorhang bereitstanden
holte einen der Häftlinge
zur Injektion
Der andere mußte vor dem Vorhang warten
Der zweite Funktionshäftling hatte unterdessen
die Injektionsspritze gefüllt

RICHTER  Was war das für eine Spritze

ZEUGE 6  Anfangs bei den intravenösen Injektionen
waren es Spritzen von 5 Kubikzentimetern
Später
als direkt ins Herz gestochen wurde
benötigte man nur noch Spritzen
von 2 Kubikzentimetern
Die Spritzen waren mit Nadeln versehen
wie man sie für Wirbelsäulen-Punktionen
gebraucht
Die Kanülen wurden in einem Beutel aufbewahrt

RICHTER  In was für einem Behälter
befand sich das Phenol

ZEUGE 6  Es war eine Flasche
die einer Thermosflasche ähnlich war

Das Phenol wurde in eine kleine Schüssel
geschüttet
Von dort wurde die Spritze gefüllt
Die Flüssigkeit hatte eine rötliche Färbung
da die Nadel nur selten gewechselt wurde
und von den Stichen blutig war

RICHTER Wußten die Kranken
was ihnen bevorstand

ZEUGE 6 Die meisten wußten es nicht
Es wurde ihnen gesagt
daß sie eine Schutzimpfung erhielten

RICHTER Ließen die Kranken alles
mit sich geschehen

ZEUGE 6 Die meisten fügten sich
Viele von ihnen waren äußerst entkräftet

RICHTER Wen sahen Sie bei der Ausgabe der Injektion

ZEUGE 6 Klehr übernahm die gefüllte Spritze
Er hatte eine Gummischürze umgebunden
trug Gummihandschuhe und hohe Gummistiefel
Die Ärmel seines weißen Kittels
waren aufgekrempelt

RICHTER Was geschah nun mit dem Häftling

ZEUGE 6 Wenn er noch ein Hemd anhatte
mußte er dieses ausziehn
und sich mit entblößtem Oberkörper
auf den Schemel setzen
Er mußte den linken Arm seitlich anheben
und die Hand vor den Mund legen
Auf diese Weise wurde der Schrei erstickt
und das Herz lag frei
Die beiden Funktionshäftlinge
hielten ihn fest

RICHTER Wie hießen die Funktionshäftlinge

ZEUGE 6 Sie hießen Schwarz und Weiß
Schwarz hielt den Häftling
an den Schultern
Weiß drückte ihm die Hand
auf den Mund
und Klehr stach ihm die Spitze

ins Herz
RICHTER Trat der Tod augenblicklich ein
ZEUGE 6 Die meisten gaben noch einen schwachen Ton
von sich
als ob sie ausatmeten
Im allgemeinen waren sie dann tot
Manchmal aber röchelte einer noch
und verendete erst auf dem Boden des Waschraums
Einige gingen im Agoniezustand
mit uns mit
Die andern wurden abgeschleift
an einer Lederschlaufe
die wir ihnen ums Handgelenk legten
Es ging sehr schnell
Oft wurden 2 bis 3 Kranke
binnen einer Minute erledigt
RICHTER Was geschah mit den Injizierten
die noch lebten
ZEUGE 6 Ich erinnere mich an einen Mann
der war groß und stark gebaut
Er richtete sich im Waschraum auf
mit der Injektion im Herzen
Ich erinnere mich deutlich wie es war
Da stand ein Kessel
und neben dem Kessel war eine Bank
Der Mann stützte sich auf den Kessel
und auf die Bank
und zog sich hoch
Da kam Klehr herein
und gab ihm die zweite Spritze
Andere waren manchmal nur bewußtlos
weil die Spritze nicht ins Herz getroffen hatte
und das Phenol in die Lunge gegangen war
Klehr kam zum Abschluß immer in den Waschraum
und sah sich die dort Aufgeschichteten an
Wenn einer noch lebte
gab er ihm den Genickschuß
bei anderen konnte er sagen
Der wird schon bis zum Krematorium aushauchen

| | |
|---|---|
| RICHTER | Kam es vor daß noch Lebende |
| | mit den Toten fortgeschafft wurden |
| ZEUGE 6 | Das kam vor |
| RICHTER | Und sie wurden lebendig verbrannt |
| ZEUGE 6 | Ja |
| | Oder vor den Öfen |
| | mit der Schaufel erschlagen |
| RICHTER | Geschah es nie |
| | daß Häftlinge sich wehrten |
| ZEUGE 6 | Einmal war ein Geschrei |
| | Da sah ich folgendes Bild |
| | Auf einem halbnackten |
| | mit Blut beschmierten Mann |
| | saßen die beiden Funktionshäftlinge |
| | Der Kopf des Mannes war aufgeschlagen |
| | ein Schürhaken lag auf dem Boden |
| | Klehr stand daneben |
| | die Spritze in der Hand |
| | Klehr kniete sich auf den Mann |
| | der immer noch gewaltsam |
| | mit den Beinen um sich stieß |
| | und stach ihm die Spritze hinein |
| RICHTER | Angeklagter Klehr |
| | Was haben Sie zu diesen Beschuldigungen |
| | zu sagen |
| ANGEKLAGTER 9 | Von dem hier erwähnten Fall weiß ich nichts |
| RICHTER | Ist Ihnen der Zeuge bekannt |
| ANGEKLAGTER 9 | Herr Vorsitzender |
| | Wichtig ist |
| | daß ich diesen Zeugen gar nicht kenne |
| | Ich kenne sonst jeden Häftling |
| | der im Leichenkommando beschäftigt war |
| RICHTER | Befanden sich zwischen den Getöteten |
| | auch Kinder |
| ZEUGE 7 | Im Frühjahr 1943 |
| | da wurden einmal über 100 Kinder getötet |
| RICHTER | Wer führte die Tötung aus |
| ZEUGE 7 | Die Tötung wurde von den Sanitätsdienstgraden |
| | Hantl und Scherpe durchgeführt |

RICHTER Herr Zeuge
Können Sie die genaue Zahl
dieser getöteten Kinder angeben
ZEUGE 7 Es waren 119 Kinder
RICHTER Kennen Sie das genaue Datum
ZEUGE 7 Es war am 23. Februar
VERTEIDIGER Woher wissen Sie das
ZEUGE 7 Ich war Schreiber bei dieser Aktion
und hatte die Kinder auf der Liste
abzustreichen
Es waren Jungen im Alter von 13
bis 17 Jahren
Ihre Eltern waren vorher erschossen worden
RICHTER Woher kamen die Kinder
ZEUGE 7 Sie stammten aus dem Gebiet von Zamosc
das geräumt wurde
um Platz zu machen für Siedler
aus dem Reich
RICHTER Angeklagter Scherpe
Haben Sie sich an dieser Tötung
beteiligt
ANGEKLAGTER 10 Herr Direktor
ich möchte ausdrücklich betonen
daß ich nie einen Menschen getötet habe
RICHTER Angeklagter Hantl
Was haben Sie zu sagen
ANGEKLAGTER 11 Daß bei uns auch Kinder angekommen sind
ist mir völlig fremd
Bitte Herr Scherpe
Habe ich etwas mit Ihnen
an Kindern getrieben
RICHTER Sie können hier keine Fragen
an Mitangeklagte stellen
Wir wollen von Ihnen wissen
ob Sie an der Tötung durch Injektionen
teilgenommen haben
ANGEKLAGTER 11 Dazu kann ich nur sagen
daß diese Beschuldigungen erlogen sind
RICHTER Waren Sie bei Injektionen zugegen

ANGEKLAGTER 11   Ich habe mich erst geweigert
                 Ich habe gesagt
                 Ist es absolut erforderlich
                 daß ich mir diese Mistgeschichte
                 mit ansehen muß
                 Dann war ich auch nur ungefähr
                 8 bis 10 mal dabei
      RICHTER    Wieviele wurden da jedesmal getötet
ANGEKLAGTER 11   Mehr als 5 bis 8 Mann waren es nicht
                 Dann war es schon aus
       ZEUGE 7   Hantl hat dabei geholfen
                 die Kranken auszusuchen
                 und zu töten
                 Es wurden fast täglich Injektionen gegeben
                 Nur sonntags nicht
ANGEKLAGTER 11   Da muß ich ja lachen
                 Das ist ja ein Unsinn ohnegleichen
                 Ich kann mir auch gar nicht erklären
                 warum gerade dieser Zeuge mich anzeigt
                 wo ich ihm doch einmal geholfen habe
                 als er Sabotage betrieben hatte
      RICHTER    Was war das für eine Sabotage
ANGEKLAGTER 11   Er hatte Bettwäsche gestohlen
                 Ich habe überhaupt alles für die Häftlinge getan
                 was ich konnte
                 Ich habe Heizgeräte für sie organisiert
                 und Radieschen
      RICHTER    Und an den Tötungen haben Sie sich
                 nicht beteiligt
ANGEKLAGTER 11   Nein und wieder nein
      RICHTER    Herr Zeuge
                 Setzen Sie Ihren Bericht
                 über die Kinder fort
       ZEUGE 7   Die Kinder waren in den Hof
                 des Krankenhauses gebracht worden
                 Den Vormittag über spielten sie dort
                 Sie hatten sogar einen Ball bekommen
                 Die Häftlinge ringsum wußten
                 was mit ihnen geschehen sollte

Sie gaben ihnen vom besten was sie hatten
Die Kinder waren hungrig und geängstigt
Sie sagten daß sie geschlagen worden seien
Immer wieder fragten sie uns
Wird man uns töten
Am Nachmittag kamen Scherpe und Hantl
Während der Stunden
in denen sie die Aktion durchführten
lag Totenstille über Block Zwanzig

RICHTER Ahnten die Kinder
was ihnen bevorstand

ZEUGE 7 Die ersten haben geschrien
Dann erzählte man ihnen
sie würden geimpft
Da gingen sie still hinein
Nur die letzten haben wieder gerufen
weil ihre Gefährten
nicht zurückkamen
Sie wurden zu zweit
zu mir hereingeführt
und dann kamen sie einzeln
hinter den Vorhang
Ich hörte nur die Schläge
wenn die Köpfe und Körper der Kinder
im Waschraum auf den Boden prallten
Plötzlich lief Scherpe heraus
Ich hörte wie er sagte
Ich kann schon nicht mehr
Er lief irgendwo hin
und Hantl übernahm den Rest
Im Lager wurde damals erzählt
Scherpe sei zusammengebrochen

RICHTER Angeklagter Scherpe
Haben Sie etwas dazu zu sagen

ANGEKLAGTER 10 Der Bericht des Zeugen
scheint mir sehr übertrieben
Ich jedenfalls
kann mich an diese Vorkommnisse
nicht erinnern

ANKLÄGER  Herr Zeuge
Wieviele Menschen
fielen Ihrer Schätzung nach insgesamt
den Phenolinjektionen zum Opfer
ZEUGE 7  An Hand der Lagerbücher
und unserer persönlichen Berechnungen
müssen es etwa 30 000 Menschen gewesen sein

# 9  Gesang vom Bunkerblock

## I

ZEUGE 8  Ich wurde verurteilt
    zu 30 mal Stehzelle
    Das bedeutete
    tagsüber Strafarbeit
    und nachts die Zelle

RICHTER  Was war der Grund der Verurteilung

ZEUGE 8  Ich hatte mich zweimal
    bei der Essensausgabe angestellt

RICHTER  Wo befanden sich die Stehzellen

ZEUGE 8  Am Ende des Kellergangs im Block Elf
    Es gab 4 solche Zellen

RICHTER  Wie groß war eine Zelle

ZEUGE 8  Ihr Umfang war 90 mal 90 Zentimeter
    Die Höhe etwa 2 Meter

RICHTER  Gab es ein Fenster

ZEUGE 8  Nein
    Es gab nur ein Luftloch oben in der Ecke
    Das war 4 mal 4 Zentimeter groß
    Der Luftschacht lief durch die Mauer
    und war mit einem perforierten Blechdeckel
    an der Außenwand abgeschlossen

RICHTER  Und die Tür

ZEUGE 8  Man mußte durch eine etwa 50 Zentimeter
    hohe Luke am Boden hineinkriechen
    Die Luke war aus schwerem Holz
    Dahinter war noch ein Eisengitter
    das verriegelt wurde

RICHTER  Waren Sie allein in der Zelle

ZEUGE 8  Anfangs war ich allein
    Während der letzten Woche
    standen wir dort zu viert

RICHTER  Gab es Häftlinge
    die Tag und Nacht
    in der Stehzelle waren

ZEUGE 8 Das war die häufigste Art der Verurteilung
Die Systeme waren verschieden
Einige erhielten dort nur
alle 2 oder 3 Tage etwas zu essen
andere erhielten keine Verpflegung
Diese waren zum Hungertod verurteilt
Mein Freund Kurt Pachala
starb in der Zelle nebenan
nach 15 Tagen
Er aß zuletzt seine Schuhe auf
Er starb am 14. Januar 1943
Ich erinnere mich daran
denn es war mein Geburtstag
Wer zum Stehbunker ohne Verpflegung
verurteilt war
konnte schreien und fluchen
soviel er wollte
Die Tür wurde nie geöffnet
In den ersten 5 Nächten
schrie er laut
Dann hörte der Hunger auf
und der Durst nahm überhand
Er stöhnte
bat und flehte
Er trank seinen Urin
und leckte die Wände ab
13 Tage dauerte die Durstzeit
Dann war nichts mehr
aus seiner Zelle zu hören
Es dauerte über 2 Wochen
bis er tot war
Aus den Stehzellen mußten die Leichen
mit Stangen herausgekratzt werden
RICHTER Aus welchem Grund
war dieser Mann verurteilt worden
ZEUGE 8 Er hatte einen Fluchtversuch unternommen
Ehe er in die Zelle eingeliefert wurde
mußte er während des Abendappells
an den Häftlingen vorbeimarschieren

Es war ihm eine Tafel umgebunden worden
mit der Aufschrift
HURRA ICH BIN WIEDER DA
Diese Worte mußte er laut rufen
und dazu mit einem Paukenschlegel
auf eine Trommel schlagen
Die längste mir bekannte Zeit
verbrachte der Häftling Bruno Graf
in der Stehzelle
Der Arrestaufseher Schlage
stand manchmal vor seiner Tür
wenn er da drinnen brüllte
und ich hörte
wie er ihm zurief
Du kannst verrecken
Erst nach einem Monat starb Graf

RICHTER    Angeklagter Schlage
Haben Sie Häftlinge
in den Stehzellen verhungern lassen

ANGEKLAGTER 14    Herr Direktor
Ich bitte folgendes zu Gehör zu bringen
Ich war in Block Elf nur Schließer
Ich bekam meine Befehle von meinen Vorgesetzten
und daran hatte ich mich zu halten
Für alles was im Bunker geschah
war nicht ich
sondern der Arrestverwalter verantwortlich

RICHTER    Wer gab den Häftlingen Verpflegung

ANGEKLAGTER 14    Das haben die Funktionshäftlinge getan

RICHTER    Wer schloß die Zellen auf

ANGEKLAGTER 14    Das waren auch die Funktionshäftlinge
Wir Arrestaufseher
mußten nur die äußeren Gitter aufschließen
wenn die Politische Abteilung kam

RICHTER    Sind Häftlinge
im Arrestbunker gestorben

ANGEKLAGTER 14    Schon möglich
aber ich kann mich nicht erinnern

RICHTER    Wer hat das Totenbuch geführt

|                | und die Todesursachen eingetragen |
| ANGEKLAGTER 14 | Das haben alles die Funktionshäftlinge allein gemacht |
| RICHTER | Und Sie hatten garnichts zu tun |
| ANGEKLAGTER 14 | Ich hatte die eigenen Leute zu bewachen die im oberen Stockwerk im Arrest saßen Da waren manchmal bis zu 18 Mann Ich mußte aufpassen daß sie sich nicht das Leben nahmen oder sonstige Dummheiten machten |
| RICHTER | Im Bunker waren also auch Mitglieder der Lagermannschaften inhaftiert |
| ANGEKLAGTER 14 | Natürlich Die Gerechtigkeit erstreckte sich auf alle Herr Vorsitzender Jede Schwäche mußte doch bekämpft werden |

II

| | |
|---|---|
| RICHTER | Wie groß waren die übrigen Zellen des Bunkers |
| ZEUGE 9 | Diese Zellen waren etwa 3 mal 2½ Meter groß Einige von ihnen waren Dunkelzellen die andern hatten oben eine Fensterluke die mit einem Betonsockel ummauert war Luft kam nur durch eine Öffnung oben in der Wand Diese Öffnung war nicht größer als die Handfläche |
| RICHTER | Wieviele Zellen dieser Art gab es |
| ZEUGE 9 | 28 Zellen |
| RICHTER | Wieviele Häftlinge konnten in einer Zelle untergebracht werden |
| ZEUGE 9 | In solch einem Raum befanden sich manchmal bis zu 40 Häftlingen |

RICHTER Wie lange mußten sie dort bleiben
ZEUGE 9 Oftmals einige Wochen
Der Häftling Bogdan Glinski
war sogar 17 Wochen darin
vom 13. November 1942 bis zum
9. März 1943
RICHTER Was für Einrichtungen enthielt die Zelle
ZEUGE 9 Es befand sich dort nur ein Holzkasten
mit einem Kübel
RICHTER Nach welchen Anordnungen
wurden die Häftlinge dort eingeschlossen
ZEUGE 9 Auch hier galt die Strafe entweder
nächtlicher Einsperrung
oder Einsperrung auf längere Zeit
Und auch hier wurde Einsperrung
mit Kostentzug praktiziert
RICHTER Herr Zeuge
Welcher Bestrafung
wurden Sie unterzogen
ZEUGE 9 Ich verbrachte dort 2 Nächte
RICHTER Wollen Sie uns den Verlauf beschreiben
ZEUGE 9 Um 9 Uhr abends hatte ich mich
im Block Elf zu melden
zusammen mit 38 anderen Häftlingen
Der Blockälteste meldete
dem diensthabenden Blockführer
den Zahlenstand
Dann führte er uns in den Keller
wo er uns in Zelle Zwanzig einschloß
Um 10 Uhr war die Luft schon stickig geworden
Wir standen eng aneinandergedrängt
Wir konnten weder sitzen noch liegen
Bald erreichte die Temperatur eine solche Höhe
daß wir anfingen
unsere Jacken und Hosen auszuziehn
Gegen Mitternacht konnte man nicht mehr stehn
Einige sackten zusammen
die andern hingen aneinander
Die meisten wurden unruhig

stießen einander und verfluchten
sich gegenseitig
Die Gerüche
die die erstickenden Menschen von sich gaben
vermischten sich mit dem Gestank
aus dem Kübel
Die Schwächeren wurden zertreten
Die Stärkeren führten einen Kampf
um einen Platz an der Tür
wo ein bißchen Luft durchkam
Wir schrien und schlugen an die Tür
wir stemmten uns dagegen
doch sie gab nicht nach
Ab und zu wurde draußen das Guckloch geöffnet
und der wachthabende Schließer
sah zu uns hinein
Um 2 Uhr nachts hatten die meisten
das Bewußtsein verloren
Am Morgen
nach der Öffnung um 5 Uhr
zog man uns heraus
und legte uns auf den Korridor
Alle waren wir nackt
Von den 39 waren noch 19 am Leben
von diesen 19 wurden 6
in den Krankenbau abtransportiert
wo weitere 4 starben

ZEUGE 3   Ich gehörte dem Leichenkommando an
das die Hungerzellen zu räumen hatte
Oft waren Tote dabei
die am Gesäß und an den Schenkeln
angebissen waren
Diejenigen
die es am längsten ausgehalten hatten
waren manchmal ohne Finger
Ich fragte den Bunkerjakob
der überall die Aufsicht führte
Wie kannst du das ertragen
Da sagte er

Gelobt sei
was hart macht
Mir geht es gut
ich esse die Rationen
von denen da drinnen
Ihr Tod rührt mich nicht
Dies alles rührt mich so wenig
wie es den Stein rührt
in der Mauer


## III


ZEUGE 6　Am 3. September 1941
wurden im Bunkerblock
die ersten Versuche
von Massentötungen
durch das Gas Zyklon B
vorgenommen
Sanitätsdienstgrade und Wachmannschaften
führten etwa 850 sowjetische Kriegsgefangene
sowie 220 kranke Häftlinge
in den Block Elf
Nachdem man sie in die Zellen
geschlossen hatte
wurden die Fenster mit Erde zugeschüttet
Dann wurde das Gas
durch die Lüftungslöcher eingeworfen
Am nächsten Tag wurde festgestellt
daß einige noch am Leben waren
Infolgedessen schüttete man
eine weitere Portion Zyklon B ein
Am 5. September wurde ich
zusammen mit 20 Häftlingen der Strafkompanie
sowie einer Reihe von Pflegern
in den Block Elf befohlen
Es wurde uns gesagt
daß wir zu einer besonderen Arbeit
anzutreten hätten

und bei Todesstrafe
niemandem von dem was wir dort sahen
berichten dürften
Es wurde uns auch eine vergrößerte Ration
nach der Arbeit versprochen
Wir erhielten Gasmasken
und mußten die Leichen
aus den Zellen holen
Als wir die Türen öffneten
sanken uns die prall aneinandergepackten
Menschen entgegen
Sie standen noch als Tote
Die Gesichter waren bläulich verfärbt
Manche hielten Büschel von Haaren
in ihren Händen
Es dauerte den ganzen Tag
bis wir die Leichen
voneinander gelöst
und draußen im Hof
aufgeschichtet hatten
Am Abend kam der Kommandant
und sein Stab
Ich hörte den Kommandanten sagen
Jetzt bin ich doch beruhigt
Jetzt haben wir das Gas
und alle diese Blutbäder
bleiben uns erspart
Und auch die Opfer können
bis zum letzten Moment
geschont werden

# 10 Gesang vom Zyklon B

## I

ZEUGE 3    Ich arbeitete im Sommer und Herbst 1941
in der Bekleidungskammer des Lagers
Dort wurde die schmutzige Wäsche
mit dem Gas Zyklon B entwest
Unser Vorgesetzter war
der Desinfektor Breitwieser

RICHTER    Herr Zeuge
Ist der Genannte
in diesem Raum anwesend

ZEUGE 3    Dies ist Breitwieser
*Der Angeklagte 17 nickt dem Zeugen
wohlwollend zu*

ZEUGE 3    Am 3. September sah ich Breitwieser
in Begleitung von Stark
sowie anderen Herren der Politischen Abteilung
mit Gasmasken und Büchsen
zum Block Elf gehen
Danach gab es Lagersperre
Am nächsten Morgen war Breitwieser böse
weil irgend etwas nicht geklappt hatte
Es war nicht richtig abgedichtet worden
und die Vergasung mußte
noch einmal vorgenommen werden
Zwei Tage später
fuhren die Rollwagen voll mit Leichen
aus dem Hof

RICHTER    Um wieviel Uhr sahen Sie Breitwieser
am 3. September auf dem Weg
zum Block Elf

ZEUGE 3    Gegen 9 Uhr abends

ANGEKLAGTER 17    Das ist unmöglich
Erstens war ich abends nie im Lager
und zweitens hätte man mich
um diese Jahreszeit gar nicht erkennen könnnen

denn da lag immer eine Dunstschicht
über dem Gelände
vom Fluß her

RICHTER  War Ihnen bekannt
daß an diesem Abend Häftlinge
im Block Elf
durch das Gas getötet werden sollten

ANGEKLAGTER 17  Ja
das hat sich herumgesprochen

RICHTER  Haben Sie nicht gesehen
wie die Häftlinge
in den Block getrieben wurden

ANGEKLAGTER 17  Herr Präsident
Dienstschluß war bei uns um 18 Uhr
Ich bin nie nach 18 Uhr im Lager gewesen

RICHTER  Mußten Sie nie nach 18 Uhr
Kleider ausgeben
wenn neue Transporte angekommen waren

ANGEKLAGTER 17  Wenn nach 18 Uhr Häftlinge ankamen
haben Funktionshäftlinge den Schlüssel
zur Bekleidungskammer abgeholt
und die Kleider ausgegeben

RICHTER  Was für eine Funktion hatten Sie
als Desinfektor

ANGEKLAGTER 17  Wenn ich mal so sagen darf
Ich hatte die Anweisungen zu geben

RICHTER  Waren Sie für diese Tätigkeit
ausgebildet worden

ANGEKLAGTER 17  Ich wurde im Sommer 1941
zusammen mit 10 bis 15 anderen
zur Ungezieferbekämpfung abkommandiert
Da waren ein paar Herren von der Firma Degesch
die das Gas lieferte
Diese unterwiesen uns
in der Handhabung des Gases
und der Gasmasken
die mit besonderen Aufsätzen
ausgestattet waren

RICHTER  Wie war das Gas verpackt

| | |
|---|---|
| ANGEKLAGTER 17 | Es war in Büchsen zu einem halben Kilo |
| | Die sahen aus wie Kaffeebüchsen |
| | Am Anfang waren Pappdeckel darauf |
| | immer leicht feucht und grau |
| | Später hatten sie Metallverschlüsse |
| RICHTER | Wie sah der Inhalt der Büchsen aus |
| ANGEKLAGTER 17 | Es war eine körnige zerbröckelnde Masse |
| | Man kann es schlecht sagen |
| | Ähnlich wie Stärke |
| | Bläulich weiß |
| RICHTER | Wissen Sie |
| | woraus diese Masse bestand |
| ANGEKLAGTER 17 | Es war ein Zyanwasserstoff in gebundener Form |
| | Sobald die Brocken |
| | der Luft ausgesetzt wurden |
| | entwich Blausäuregas |
| RICHTER | Wie verlief Ihre Arbeit mit dem Gas |
| ANGEKLAGTER 17 | Häftlinge mußten die Kleidungsstücke |
| | in der Kammer aufhängen |
| | Dann habe ich zusammen mit einem anderen |
| | Desinfektor |
| | das Gas eingeworfen |
| | Nach 24 Stunden haben wir die Sachen |
| | wieder rausgeholt |
| | dann kamen neue herein |
| | und so ging das weiter |
| | Auch Unterkünfte hatten wir zu desinfizieren |
| | Nachdem die Fenster verklebt worden waren |
| | wurden die Büchsen mit Schlageisen |
| | und Hammer geöffnet |
| | sodann wurde eine Gummihaube darübergestülpt |
| | weil sonst das Gas entwich |
| | und wir erst mehrere Büchsen öffnen mußten |
| | Wenn alles vorbereitet war |
| | wurde das Gas ausgestreut |
| RICHTER | War dem Gas ein Reizstoff beigemischt |
| | als Warnung |
| ANGEKLAGTER 17 | Nein |
| | Das Zyklon B wirkte sehr schnell |

Ich erinnere mich
wie der Unterscharführer Theurer
einmal in ein Haus kam
das schon entwest war
Am Abend war es gelüftet worden
unten im Erdgeschoß
und am nächsten Morgen wollte Theurer
die Fenster im ersten Stock öffnen
Er muß wohl noch Dämpfe eingeatmet haben
fiel sofort um und rollte
bewußtlos die Treppe hinunter
bis dahin
wo er frische Luft bekam
Wäre er anders gefallen
dann wäre er nicht mehr herausgekommen

ANKLÄGER   Wurden Sie mit Ihren Fachkenntnissen
nicht hinzugezogen
als man damit begann
Menschen mit Zyklon B zu töten

ANGEKLAGTER 17   Ich sage grundsätzlich nur
was wahr ist
Ich vertrug das Gas nicht
Ich bekam Magenbeschwerden und bat darum
versetzt zu werden

ANKLÄGER   Wurden Sie versetzt

ANGEKLAGTER 17   Noch nicht gleich

ANKLÄGER   Wann wurden Sie versetzt

ANGEKLAGTER 17   Daran kann ich mich nicht mehr erinnern

ANKLÄGER   Sie wurden im April 1944 versetzt
Bis dahin stiegen Sie noch in den Graden
Zunächst wurden Sie zum Rottenführer
und dann zum Unterscharführer befördert

VERTEIDIGER   Wir protestieren
gegen diese Unterschiebung
Daß Mitglieder des Lagerpersonals
im Range stiegen
ist einzig und allein dienstlich zu bewerten
und beweist keineswegs ihre Mitschuld
*Zustimmung von seiten der Angeklagten*

| | |
|---|---|
| RICHTER | Wo wurde das Gas aufbewahrt |
| ZEUGE 6 | Es stand im Keller der Apotheke |
| | in Kisten verpackt |
| RICHTER | Angeklagter Capesius |
| | War Ihnen als Vorstand der Apotheke bekannt |
| | daß dort Zyklon B gelagert wurde |
| ANGEKLAGTER 3 | Da muß der Herr Zeuge |
| | einer Verwechslung zum Opfer gefallen sein |
| | Was diese Kisten im Keller betrifft |
| | so enthielten sie |
| | Ovomaltin |
| | Es war eine Sendung vom Schweizer |
| | Roten Kreuz |
| ZEUGE 6 | Ich habe den Karton mit Ovomaltin gesehn |
| | und ich habe die Kisten mit dem Zyklon gesehn |
| | und auch die Koffer habe ich gesehn |
| | in denen der Angeklagte Capesius |
| | Schmuckstücke und Zahngold verwahrte |
| ANGEKLAGTER 3 | Das sind Erfindungen |
| ZEUGE 6 | Woher stammt das Geld |
| | mit dem sich der Angeklagte Capesius |
| | sofort nach dem Krieg |
| | eine eigene Apotheke |
| | und einen Schönheitssalon einrichtete |
| | Sei schön durch eine Behandlung bei Capesius |
| | so hieß es in der Firmareklame |
| ANGEKLAGTER 3 | Das Geld dafür erhielt ich durch eine Anleihe |
| ZEUGE 6 | Und woher stammen die 50 000 Mark |
| | die mir und einigen andern Zeugen geboten wurden |
| | wenn wir hier beschwören würden |
| | Capesius habe im Lager nur die Apotheke verwaltet |
| | und nicht die Aufsicht gehabt |
| | über das Zyklon B und das Phenol |
| ANGEKLAGTER 3 | Darüber ist mir nichts bekannt |
| ANKLÄGER | Von wem wurde dieser Bestechungsversuch vor- |
| ZEUGE 6 | Er kam von anonymer Seite              genommen |
| ANKLÄGER | Wissen Sie |

ob eine der legalen Hilfsorganisationen
ehemaliger Wachmannschaften
dahinter stand

ZEUGE 6 Das weiß ich nicht
Ich möchte dem Gericht jedoch folgenden Brief
den ich erhalten habe
zur Kenntnis geben
Der Brief ist mit den Worten überschrieben
Arbeitsgemeinschaft für Recht und Freiheit
Sein Inhalt lautet
Sie werden bald von der Bildfläche verschwinden
Sie werden einen qualvollen Tod sterben
Unsere Mitarbeiter beobachten Sie ständig
Sie können jetzt wählen
Tod oder Leben

RICHTER Das Gericht wird die Herkunft dieses Briefes
untersuchen

VERTEIDIGER Herr Zeuge
können Sie angeben
was auf den Kisten stand

ZEUGE 6 Da stand
Vorsicht Giftgas
Und dann war das Warnungsschild
mit dem Totenkopf darauf

VERTEIDIGER Haben Sie den Inhalt der Kiste gesehen

ZEUGE 6 Ich sah geöffnete Kisten
mit den Büchsen darin

VERTEIDIGER Was stand auf den Etiketten

ZEUGE 6 Giftgas Zyklon

VERTEIDIGER Stand noch mehr darauf

ZEUGE 6 Da stand noch
Vorsicht Ohne Warnstoff
Nur durch geübtes Personal zu öffnen

RICHTER Herr Zeuge
haben Sie gesehen
daß diese Büchsen zu den Gaskammern
transportiert wurden

ZEUGE 6 Wir hatten solche Kisten
in den Sanitätswagen zu verladen

|                 | der zum Abholen kam                              |
| RICHTER         | Wer fuhr im Wagen mit                            |
| ZEUGE 6         | Ich sah dort Dr. Frank und Dr. Schatz           |
|                 | sowie Dr. Capesius                               |
|                 | Sie hatten ihre Gasmasken dabei                  |
|                 | Dr. Schatz hatte sogar einen Stahlhelm auf       |
|                 | Ich erinnere mich daran                          |
|                 | denn einer seiner Begleiter sagte                |
|                 | Du siehst aus wie ein kleiner Pilz               |
| VERTEIDIGER     | Wir möchten das Gericht daran erinnern           |
|                 | daß zu gewissen Zeiten im Krieg                  |
|                 | das Tragen von Gasmasken Pflicht war             |
|                 | Weder das Weggehen unserer Mandanten             |
|                 | noch ihr Zurückkommen mit einer Gasmaske         |
|                 | beweist                                          |
|                 | wohin sie gegangen sind                          |
| RICHTER         | Herr Zeuge                                       |
|                 | haben Sie Lieferscheine                          |
|                 | für die Sendungen des Gases gesehen              |
| ZEUGE 6         | Beim Eintreffen dieser Sendungen                 |
|                 | die später immer größere Mengen umfaßten         |
|                 | und die dann im alten Theatergebäude             |
|                 | außerhalb des Lagers gespeichert wurden          |
|                 | hatte ich die Begleitscheine oft                 |
|                 | zur Verwaltung zu bringen                        |
|                 | Als Absender war die deutsche Gesellschaft       |
|                 | für Schädlingsbekämpfung angegeben               |
| RICHTER         | Auf welchem Weg                                  |
|                 | wurden die Sendungen befördert                   |
| ZEUGE 6         | Teils kamen sie im Lastwagentransport            |
|                 | direkt von der Fabrik                            |
|                 | oder sie liefen per Bahn                         |
|                 | über Wehrmachtsfrachtbriefe                      |
| RICHTER         | Erinnern Sie sich an angegebene Mengen           |
| ZEUGE 6         | Es kamen 14 bis 20 Kisten                        |
|                 | auf einmal an                                    |
| RICHTER         | Wie oft trafen Ihrer Berechnung nach             |
|                 | diese Transporte ein                             |
| ZEUGE 6         | Mindestens einmal wöchentlich                    |

| | Im Jahre 1944 mehrmals in der Woche |
| | Da wurden auch die Lastwagen der Fahrbereitschaft |
| | des Lagers herangeholt |
| RICHTER | Wieviele Büchsen |
| | waren in einer Kiste enthalten |
| ZEUGE 6 | Jede Kiste enthielt 30 Büchsen |
| | à 500 Gramm |
| RICHTER | Sahen Sie Preisangaben |
| ZEUGE 6 | Der Preis per Kilo war 5 RM |
| RICHTER | Wieviele Büchsen |
| | wurden für eine Vergasung benötigt |
| ZEUGE 6 | Für 2000 Menschen in einer Kammer |
| | wurden etwa 16 Büchsen verbraucht |
| RICHTER | Das Kilo zu 5 Mark |
| | macht 40 Mark |

## III

| RICHTER | Angeklagter Mulka |
| | Als Lageradjutant unterstand Ihnen auch |
| | die Fahrbereitschaft |
| | Hatten Sie da Fahrbefehle auszuschreiben |
| ANGEKLAGTER 1 | Ich habe keine solchen Befehle geschrieben |
| | Damit hatte ich nichts zu tun |
| RICHTER | Wußten Sie |
| | was Anforderungen von Material zur Umsiedlung |
| | bedeuteten |
| ANGEKLAGTER 1 | Nein |
| RICHTER | Angeklagter Mulka |
| | Das Gericht ist im Besitz von Fahrbefehlen |
| | zum Transport von Material zur Umsiedlung |
| | Diese Dokumente sind von Ihnen unterschrieben |
| ANGEKLAGTER 1 | Es mag sein |
| | daß ich den einen oder den andern Befehl |
| | einmal abzeichnen mußte |
| RICHTER | Haben Sie nicht erfahren |
| | daß Material zur Umsiedlung |
| | aus dem Gas Zyklon B bestand |

ANGEKLAGTER I  Wie ich bereits äußerte
war mir dies nicht bekannt

RICHTER  Von wem wurden die Anforderungen
dieses Materials ausgegeben

ANGEKLAGTER I  Sie liefen durch Fernschreiben ein
und wurden an den Kommandanten
oder den Schutzhaftlagerführer
weitergeleitet
Von dort gelangten sie an den Chef
der Fahrbereitschaft

RICHTER  Unterstand der nicht Ihnen

ANGEKLAGTER I  Nur disziplinar

RICHTER  Lag es nicht in Ihrem Interesse
zu erfahren
wozu die Lastwagen der Fahrbereitschaft
eingesetzt wurden

ANGEKLAGTER I  Es war mir ja bekannt
daß sie zur Materialverfrachtung
benötigt wurden

RICHTER  Wurden auch Häftlinge
in den Lastwagen transportiert

ANGEKLAGTER I  Davon weiß ich nichts
Zu meiner Zeit gingen die Häftlinge
zu Fuß

RICHTER  Angeklagter Mulka
Es befindet sich in unserer Hand ein Schriftstück
in dem die Rede ist
von der erforderlichen dringenden Fertigstellung
der neuen Krematorien
mit dem Hinweis
daß die damit beschäftigten Häftlinge
auch sonntags zu arbeiten hätten
Das Schreiben ist von Ihnen unterzeichnet

ANGEKLAGTER I  Ja
das muß ich wohl diktiert haben

RICHTER  Wollen Sie immer noch behaupten
daß Sie von den Massentötungen
nichts gewußt haben

ANGEKLAGTER I  Alle meine Einlassungen

177

entsprechen der Wahrheit

RICHTER Wir haben als Zeugen einberufen
den ehemaligen Werkstattleiter
der Fahrbereitschaft des Lagers
Herr Zeuge
wieviele Wagen gab es da

ZEUGE 1 Die Lastwagenstaffel bestand aus
10 schweren Fahrzeugen

RICHTER Von wem erhielten Sie die Fahrbefehle

ZEUGE 1 Vom Fahrbereitschaftschef

RICHTER Von wem waren die Fahrbefehle unterschrieben

ZEUGE 1 Das weiß ich nicht

RICHTER Herr Zeuge
Wozu wurden die Lastwagen eingesetzt

ZEUGE 1 Zum Abholen von Frachten
und zum Häftlingstransport

RICHTER Wohin wurden die Häftlinge transportiert

ZEUGE 1 Das kann ich nicht mit Bestimmtheit sagen

RICHTER Haben Sie an diesen Transporten teilgenommen

ZEUGE 1 Ich mußte da mal mitfahren
als Ersatz

RICHTER Wohin fuhren Sie

ZEUGE 1 Ins Lager rein
wo sie da ausgesucht wurden
und was da so war

RICHTER Wohin fuhren Sie dann mit den Menschen

ZEUGE 1 Bis zum Lagerende
Da war ein Birkenwald
Da wurden die Leute abgeladen

RICHTER Wohin gingen die Menschen

ZEUGE 1 In ein Haus rein
Dann habe ich nichts mehr gesehen

RICHTER Was geschah mit den Menschen

ZEUGE 1 Das weiß ich nicht
Ich war ja nicht dabei

RICHTER Erfuhren Sie nicht
was mit ihnen geschah

ZEUGE 1 Die wurden wohl verbrannt
an Ort und Stelle

## 11  Gesang von den Feueröfen

### I

RICHTER  Herr Zeuge
          Sie gehörten den Fahrern
          der Sanitätswagen an
          in denen das Blausäurepräparat Zyklon B
          zu den Gaskammern transportiert wurde
ZEUGE 2  Ich war als Traktorführer
          ins Lager kommandiert worden
          und mußte dann später auch
          als Fahrer von Sanitätswagen
          Dienst tun
RICHTER  Wohin fuhren Sie
ZEUGE 2  Ich hatte die Sanitäter und Ärzte
          abzuholen
RICHTER  Wer waren die Ärzte
ZEUGE 2  Daran kann ich mich nicht erinnern
RICHTER  Wohin hatten Sie die Sanitäter und Ärzte
          zu bringen
ZEUGE 2  Vom alten Lager
          zur Rampe des Barackenlagers
RICHTER  Wann fuhren Sie
ZEUGE 2  Wenn Transporte ankamen
RICHTER  Wie wurden die Transporte angekündigt
ZEUGE 2  Mit einer Sirene
RICHTER  Wohin fuhren Sie von der Rampe aus
ZEUGE 2  Zu den Krematorien
RICHTER  Fuhren die Ärzte mit
ZEUGE 2  Ja
RICHTER  Was taten die Ärzte dort
ZEUGE 2  Der Arzt blieb im Wagen sitzen
          oder stand daneben
          Die Sanitäter mußten die Sachen
          verrichten
RICHTER  Welche Sachen
ZEUGE 2  Die Vergasungen

| | |
|---|---|
| RICHTER | Befanden sich bei Ihrer Ankunft |
| | die Menschen schon |
| | in der Gaskammer |
| ZEUGE 2 | Sie waren noch beim Auskleiden |
| RICHTER | Gab es da keine Unruhen |
| ZEUGE 2 | Wie ich da war |
| | ging es immer ganz friedlich zu |
| RICHTER | Was konnten Sie vom Vorgang |
| | der Vergasung sehen |
| ZEUGE 2 | Wenn die Häftlinge in die Kammern |
| | eingeführt worden waren |
| | gingen die Sanitäter zu den Luken |
| | setzten ihre Gasmasken auf |
| | und entleerten die Büchsen |
| RICHTER | Wo befanden sich die Luken |
| ZEUGE 2 | Da war eine schräge Anschüttung |
| | über dem unterirdischen Raum |
| | mit 4 Kästen |
| RICHTER | Wieviele Büchsen wurden entleert |
| ZEUGE 2 | 3 bis 4 Büchsen in jedes Loch |
| RICHTER | Wie lange dauerte das |
| ZEUGE 2 | Etwa eine Minute |
| RICHTER | Schrien die Menschen nicht |
| ZEUGE 2 | Wenn einer gemerkt hatte |
| | was los war |
| | konnte man wohl einen Schrei hören |
| ANKLÄGER | Herr Zeuge |
| | Wie weit stand Ihr Wagen |
| | von der Vergasungskammer entfernt |
| ZEUGE 2 | Der stand auf dem Weg |
| | etwa 20 Meter ab |
| ANKLÄGER | Und da konnten Sie hören |
| | was unten in den Kammern geschah |
| ZEUGE 2 | Manchmal bin ich ausgestiegen |
| | um zu warten |
| ANKLÄGER | Was taten Sie da |
| ZEUGE 2 | Nichts |
| | Ich rauchte eine Zigarette |
| ANKLÄGER | Näherten Sie sich den Luken |

über der Gaskammer

ZEUGE 2 Ich ging manchmal etwas auf und ab
um mir die Beine zu vertreten

ANKLÄGER Was hörten Sie da

ZEUGE 2 Wenn die Deckel von den Luken
abgehoben wurden
hörte ich ein Dröhnen von unten
als ob sich dort viele Menschen
unter der Erde befänden

ANKLÄGER Und was taten Sie dann

ZEUGE 2 Die Luken wurden wieder geschlossen
und ich mußte zurückfahren

RICHTER Herr Zeuge
Sie waren Häftlingsarzt im Sonderkommando
das zum Dienst in den Krematorien
eingesetzt war
Wieviele Häftlinge befanden sich
in diesem Kommando

ZEUGE 7 Insgesamt 860 Mann
Das Häftlingskommando wurde im Abstand
von einigen Monaten vernichtet
und durch eine neue Belegschaft ersetzt

RICHTER Wem unterstanden Sie

ZEUGE 7 Dr. Mengele

RICHTER Herr Zeuge
Wie ging die Einlieferung
in die Gaskammern vor sich

ZEUGE 7 Der Lokomotivpfiff
vorm Einfahrtstor zur Rampe
war das Signal
daß ein neuer Transport eintraf
Das bedeutete
daß in etwa einer Stunde
die Öfen voll gebrauchsfähig sein mußten
Die Elektromotore wurden eingeschaltet
Diese trieben die Ventilatoren
die das Feuer in den Öfen
auf den erforderlichen Hitzegrad brachten

RICHTER Konnten Sie sehen

wie die Gruppen von der Rampe kamen

ZEUGE 7 Vom Fenster meines Arbeitszimmers aus
konnte ich den oberen Teil der Rampe
und den Weg zum Krematorium überblicken
Die Menschen kamen in Fünferreihen an
Die Kranken fuhren in Lastwagen hinterher
Das Krematoriumgelände
war von einem Gitter abgeschlossen
Am Tor hingen Warnungsschilder
Die Begleitmannschaften mußten zurückbleiben
und das Sonderkommando übernahm die Führung
Nur Ärzte und Sanitätsdienstgrade
sowie Mitglieder der Politischen Abteilung
kamen herein

RICHTER Wen von den Angeklagten
sahen Sie dort

ZEUGE 7 Stark sah ich dort und Hofmann
auch Kaduk und Baretzki

VERTEIDIGER Wir machen darauf aufmerksam
daß unsere Mandanten
die Teilnahme an diesen Vorgängen
bestreiten

RICHTER Herr Zeuge
Setzen Sie Ihren Bericht fort

ZEUGE 7 Die Menschen gingen langsam und müde
durch das Tor
Die Kinder hingen an den Röcken der Mütter
Ältere Männer trugen Säuglinge
oder schoben Kinderwagen
Der Weg war mit schwarzer Schlacke bestreut
Rechts und links waren ein paar Wasserhähne
auf den Grasflächen
Oft drängten sich die Menschen darum
und das Kommando ließ sie noch trinken
trieb sie aber zur Eile an
Sie hatten noch etwa 50 Meter zu gehen
bis sie zur Treppe kamen
die hinunter in die Auskleideräume führte

RICHTER Was war vom Krematoriumbau zu sehen

ZEUGE 7   Nur das Verbrennungsgebäude
mit dem großen viereckigen Schornstein
Unterirdisch schloß sich daran
seitlich abzweigend
die Vergasungskammer
und in der Längsrichtung
der Auskleideraum

RICHTER   Bestand freie Sicht auf das Krematorium

ZEUGE 7   Es war von Bäumen und Buschwerk umgeben
und lag etwa 100 Meter
von der Lagerumzäunung entfernt
Gegenüber waren die Außenzäune
mit Wachtürmen
Dahinter breiteten sich offene Felder aus

RICHTER   Wie groß war der Auskleideraum

ZEUGE 7   Etwa 40 Meter lang
12 bis 15 Stufen führten hinab
Er war etwas über 2 Meter hoch
In der Mitte stand eine Reihe von Tragpfeilern

RICHTER   Wieviele Menschen wurden auf einmal
hinabgeführt

ZEUGE 7   1000 bis 2000 Menschen

RICHTER   Wußten die Menschen
was ihnen bevorstand

ZEUGE 7   Über der schmalen Treppe
waren Tafeln angebracht
Da stand in verschiedenen Sprachen
BADE- UND DESINFIZIERUNGSRAUM
Das klang beruhigend
und beschwichtigte viele
die noch mißtrauisch waren
Oft sah ich Menschen
froh hinuntergehen
und Mütter scherzten mit ihren Kindern

RICHTER   Brach nie Panik aus
zwischen den vielen Menschen
im engen Raum

ZEUGE 7   Es ging alles sehr schnell und effektiv
Das Kommando zum Ausziehen wurde gegeben

und während die Menschen sich noch
ratlos umsahen
half das Sonderkommando ihnen schon
beim Abnehmen der Kleider
An den Seiten waren Bänke aufgestellt
mit numerierten Haken darüber
und es wurde wiederholt gesagt
daß Kleidungsstücke und Schuhe
zusammengebunden aufzuhängen seien
und daß jeder sich die Nummer seines Hakens
zu merken habe
damit nach der Rückkehr aus dem Bad
kein Durcheinander entstehe
In dem grellen Licht
kleideten sich die Menschen aus
Männer und Frauen
Alte und Junge
Kinder

RICHTER   Warfen sich diese vielen Menschen
niemals auf ihre Bewacher

ZEUGE 7   Nur einmal hörte ich
wie einer rief
Sie wollen uns umbringen
Aber da antwortete schon ein anderer
Das ist undenkbar
Niemals kann so etwas geschehn
Verhaltet euch ruhig
Und wenn Kinder weinten
wurden sie von ihren Eltern getröstet
und man schäkerte und spielte mit ihnen
während sie in den angrenzenden Raum
getragen wurden

RICHTER   Wo lag der Eingang zu diesem Raum

ZEUGE 7   Am Ende der Auskleidehalle
Es war eine dicke Eichentür
mit einem Guckloch
und einem Radgriff
zum Zuschrauben

RICHTER   Wie lange dauerte das Auskleiden

ZEUGE 7   Etwa 10 Minuten
          Dann wurden alle
          in den andern Raum gedrängt
RICHTER   Mußte nie Gewalt angewendet werden
ZEUGE 7   Die Leute vom Sonderkommando riefen
          Schnell schnell
          das Wasser wird kalt
          Und es wurde auch wohl gedroht und geschlagen
          oder einer der Wachleute
          gab einen Schuß ab
RICHTER   War der andere Raum
          durch Duschen getarnt
ZEUGE 7   Nein
          Da war nichts
RICHTER   Wie groß war dieser Raum
ZEUGE 7   Kleiner als der Auskleideraum
          Etwas mehr als 30 Meter lang
RICHTER   Wenn 1000 und mehr Menschen
          in einem solchen Raum zusammengedrängt wurden
          mußte es doch zum Aufruhr kommen
ZEUGE 7   Da war es zu spät
          Die letzten wurden hineingepreßt
          und die Tür wurde zugeschraubt
RICHTER   Herr Zeuge
          haben Sie eine Erklärung dafür
          warum die Menschen dies alles
          mit sich geschehen ließen
          Angesichts dieses Raumes
          mußten sie doch wissen
          daß ihr Ende bevorstand
ZEUGE 7   Es kam kein einziger heraus
          um darüber berichten zu können
RICHTER   Was zeigte sich den Menschen
          in diesem Raum
ZEUGE 7   Da waren Betonwände
          mit einzelnen Ventilklappen
          In der Mitte waren die Tragpfeiler
          und rechts und links davon
          standen je 2 Säulen

|  | aus perforiertem Eisenblech |
|---|---|
|  | Auf dem Fußboden waren Abflußgatter |
|  | Auch hier brannte starkes Licht |
| RICHTER | Was war von den Menschen zu hören |
| ZEUGE 7 | Sie schrien jetzt |
|  | und schlugen an die Tür |
|  | aber es war nicht viel zu hören |
|  | da war solch ein Summen |
|  | von den Ofenräumen |
| RICHTER | Was war durch die Türluke zu sehen |
| ZEUGE 7 | Die Menschen drängten sich an die Tür |
|  | und kletterten an den Säulen hoch |
|  | Dann kam das Ersticken |
|  | als das Gas eingeworfen wurde |

## II

| | |
|---|---|
| ZEUGE 7 | Das Gas wurde oben |
|  | in die Blechsäulen eingeworfen |
|  | Innerhalb der Säulen |
|  | verlief eine spiralenförmige Rinne |
|  | in der sich die Masse verteilte |
|  | In der feuchten erhitzten Luft |
|  | entwickelte sich das Gas schnell |
|  | und drang durch die Öffnungen |
| RICHTER | Wie lange dauerte die Wirkungszeit des Gases |
|  | bis der Tod eintrat |
| ZEUGE 7 | Das hing von der Menge des Gases ab |
|  | Aus Ersparnisgründen wurde meist |
|  | nicht genügend eingeworfen |
|  | so daß die Tötung |
|  | bis zu 5 Minuten dauern konnte |
| RICHTER | Was war die unmittelbare Wirkung des Gases |
| ZEUGE 7 | Es weckte Schwindel und starke Übelkeit |
|  | und lähmte die Atmungsfunktionen |
| RICHTER | Wie lange stand der Raum unter Gas |
| ZEUGE 7 | 20 Minuten |
|  | Dann wurden die Entlüftungsapparate eingeschaltet |

und das Gas herausgepumpt
Nach 30 Minuten wurden die Türen geöffnet
Nur zwischen den Leichen war noch in kleinen Mengen
Gas vorhanden
und verursachte einen Reizhusten
deshalb mußten die Leute des Räumungskommandos
Gasmasken tragen

RICHTER Herr Zeuge
Sahen Sie diesen Raum nach der Öffnung

ZEUGE 7 Ja
Die Leichen lagen übereinandergedrängt
in der Nähe der Tür und der Säulen
und zwar lagen Säuglinge
Kinder und Kranke unten
darüber die Frauen
und ganz oben die kräftigsten Männer
Dies war so zu erklären
daß die Menschen sich gegenseitig niedertraten
und aufeinanderkletterten
weil das Gas sich anfangs am stärksten
in Bodenhöhe entwickelte
Die Menschen waren ineinander verkrallt
Die Haut war zerkratzt
Viele bluteten aus Nase und Mund
Die Gesichter waren angeschwollen
und fleckig
Die Menschenhaufen waren besudelt
von Erbrochenem
von Kot Urin und Menstruationsblut
Das Räumungskommando kam mit Wasserschläuchen
und spritzte die Leichen ab
Dann wurden sie in die Lastfahrstühle gezogen
und hinauf in den Verbrennungssaal befördert

RICHTER Wie groß waren die Fahrstühle

ZEUGE 7 Es waren 2 Lastenaufzüge
die je 25 Tote faßten
Sobald ein Aufzug vollbeladen war
wurde ein Klingelzeichen gegeben
Oben an den Fahrstühlen

stand das Schleppkommando bereit
Sie trugen eine Schlinge in der Hand
die sie den Toten um das Handgelenk streiften
Auf einer eigens dazu bestimmten Bahn
wurden die Leichen zu den Öfen geschleift
Das Blut wurde von ständig fließendem Wasser
abgespült
Vor der Verbrennung
wurden sie von Spezialkommandos
zur Auswertung übernommen
Alles was noch an Schmuck
an den Körpern zu finden war
wie Halsketten Armbänder
Ringe und Ohrgehänge
wurde abgenommen
sodann wurde das Haar geschnitten
und sofort gebündelt
und in Säcke verpackt
und zum Schluß traten die Zahnzieher an
die sich auf Dr. Mengeles ausdrücklichen Befehl
aus erstklassigen Spezialisten zusammensetzten
Doch bei ihrer Arbeit mit Zangen und Brecheisen
rissen sie mit den Goldzähnen und Brücken
ganze Stücke der Kiefer heraus
und die Knochenstücke und das daran haftende Fleisch
wurden in einem Säurebad weggeätzt
100 Mann arbeiteten unaufhörlich vor den Öfen
in 2 Schichten

RICHTER  Wieviele Öfen befanden sich im Verbrennungssaal

ZEUGE 7  In den beiden großen Krematorien II und III
standen je 5 Öfen
Jeder Ofen hatte 3 Verbrennungskammern
Außer den Krematorien II und III
am Ende der Rampe
gab es die Krematorien IV und V
die je 2 vierkammrige Öfen hatten
Diese Krematorien lagen etwa
750 Meter entfernt
hinter dem Birkenwald

Bei voll laufendem Betrieb
waren zusammen 46 Verbrennungskammern
angeheizt
RICHTER Wieviele Körper
fanden in einer Ofenkammer Platz
ZEUGE 7 Die Kapazität einer Kammer
umfaßte 3 bis 5 Leichen
Es kam jedoch selten vor
daß alle Öfen gleichzeitig arbeiteten
da diese auf Grund der Überheizung
oft beschädigt waren
Die Hersteller dieser Öfen
die Firma Topf und Söhne hat
wie es in ihrer Patentschrift
nach dem Kriege heißt
ihre Einrichtungen
auf Grund gewonnener Erfahrungen
verbessert
RICHTER Wie lange dauerte die Verbrennung
in einer Ofenkammer
ZEUGE 7 Ungefähr eine Stunde
Dann konnte ein neuer Schub gefaßt werden
In den Krematorien II und III
wurden innerhalb von 24 Stunden
über 3000 Menschen verbrannt
Bei Überfüllung
verbrannte man die Leichen auch in Gruben
die neben den Krematorien
ausgehoben worden waren
Diese Gruben waren etwa 30 Meter lang
und 6 Meter tief
An den Enden der Gruben waren Abflußgräben
für das Fett
Das wurde mit Büchsen abgeschöpft
und über die Leichen gegossen
damit sie besser brannten
Im Sommer 1944
als die Verbrennungen die höchsten Ziffern erreichten
wurden täglich

|  | bis zu 20 000 Menschen vernichtet |
|--|--|
|  | Ihre Asche wurde mit Lastwagen |
|  | zu dem 2 Kilometer entfernten Fluß gefahren |
|  | und dort ins Wasser geschüttet |
| RICHTER | Wie wurden die Wertgegenstände |
|  | und das Zahngold verwaltet |
| ZEUGE 1 | Bei der Einsammlung der Kleider |
|  | wurden die aufgefundenen Gelder und Schmuckstück |
|  | in eine verschlossene Kiste geworfen |
|  | die oben einen Schlitz hatte |
|  | Vorher füllten sich die Wachleute |
|  | die eigenen Taschen |
|  | Die Kleider und Schuhe |
|  | die von den Häftlingen selbst |
|  | noch ordentlich zusammengelegt worden waren |
|  | liefen ins Reich |
|  | wo sie den Ausgebombten zugute kamen |
|  | Das Zahngold wurde eingeschmolzen |
|  | Ich wurde als Untersuchungsrichter angefordert |
|  | weil ausgehende Pakete |
|  | die kiloweise Gold enthielten |
|  | beschlagnahmt worden waren |
|  | Ich ermittelte daß es sich um Zahngold handelte |
|  | Nachdem ich das Gewicht einer einzelnen Plombe |
|  | errechnet hatte |
|  | kam ich zu dem Ergebnis |
|  | daß Tausende von Menschen notwendig waren |
|  | um einen solchen Klumpen Gold herzugeben |
| RICHTER | Würde denn damals von außen |
|  | ein Richter einberufen |
|  | der Vorgänge im Lager zu untersuchen hatte |
| ZEUGE 1 | Irgendwo lebten noch Vorstellungen |
|  | von einem Rechtsstaat fort |
|  | Der Kommandant |
|  | wollte die Korruption im Lager bekämpfen |
|  | Bei meinem Besuch klagte er mir |
|  | daß seine Leute der schweren Arbeit |
|  | charakterlich oft nicht gewachsen seien |
|  | Er führte mich dann zu den Verbrennungsanlagen |

wo er mir Einzelheiten erklärte
Drinnen in den Heizräumen war alles
spiegelblank geputzt
Nichts deutete darauf hin
daß Menschen hier verbrannt wurden
Nicht einmal ein Stäubchen lag von ihnen
auf der Ofenarmatur
In der Wachtstube saßen die Mannschaften
halbbetrunken auf den Bänken
und in den Waschräumen standen
ausgesucht hübsche Häftlingsmädchen
und buken an einem Herd
Kartoffelpuffer für die Männer
die sich von ihnen bedienen ließen
Als ich die Spinde der Leute untersuchte
ergab sich
daß diese vollgeladen waren
mit Reichtümern
Als Richter erhob ich damals Anklage auf Raub
und einige wurden verhaftet und abgeurteilt

RICHTER  Wie ging eine solche Anklage vor sich
ZEUGE 1  Es war ein Scheinprozeß
Weiter nach oben hin
konnte nicht verhaftet werden
und auf vielfachen Mord
war in diesem Fall keine Anklage möglich
RICHTER  Sahen Sie als Untersuchungsrichter
keine anderen Möglichkeiten
Ihre Kenntnisse zu veröffentlichen
ZEUGE 1  Vor welchem Gerichtshof
hätte ich Klage erheben können
über die Mengen der Getöteten
und über die
von den höchsten Verwaltungsstellen
übernommenen Werte
Ich konnte doch kein Verfahren
gegen die oberste Staatsführung einleiten
RICHTER  Konnten Sie nicht
auf andere Weise eingreifen

ZEUGE 1   Ich wußte
          daß niemand mir geglaubt hätte
          Ich wäre hingerichtet
          oder im besten Fall
          als geistesgestört eingesperrt worden
          Ich dachte auch an Flucht über die Grenze
          aber ich zweifelte
          ob man mir dort glauben würde
          und ich fragte mich was geschehen würde
          wenn man mir glaubte
          und wenn ich verhört werden sollte
          gegen mein eigenes Volk
          und ich konnte mir nur denken
          daß man dieses Volk vernichten würde
          für seine Taten
          So blieb ich


                        III


RICHTER   Herr Zeuge
          Es wird berichtet von einem Aufstand
          des Sonderkommandos
          Wann fand dieser Aufstand statt
ZEUGE 3   Am 6. Oktober 1944
          Das Kommando sollte an diesem Tag
          von den Wachmannschaften liquidiert werden
RICHTER   War dies dem Kommando vorher bekannt
ZEUGE 3   Alle wußten
          daß sie umgebracht werden sollten
          Lange vorher schon hatten sie sich
          durch Häftlinge
          die in den Rüstungsbetrieben arbeiteten
          Büchsen mit Ekrasit besorgt
          Der Plan war
          die Wachposten unschädlich zu machen
          die Krematorien zu sprengen
          und zu fliehen
          Doch das Krematorium

in dem die Sprengbomben verwahrt lagen
wurde früher als erwartet ausgehoben
und die Leute sprengten sich selbst
in die Luft
Es kam noch zum Kampf
doch alle wurden überwältigt
Mehrere hundert lagen
hinter dem Birkenwäldchen
Sie lagen auf dem Bauch
und die Männer der Politischen Abteilung
töteten sie durch Kopfschüsse

RICHTER   Wer von den Angeklagten war dabei

ZEUGE 3   Boger war der Leitende

RICHTER   Wurde das Krematorium
durch die Sprengung vernichtet

ZEUGE 3   Durch die Sprengung von 4 Pulverfässern
explodierte das ganze Gebäude
und brannte nieder

RICHTER   Was geschah mit den übrigen Krematorien

ZEUGE 3   Sie wurden kurze Zeit danach
vom Lagerpersonal selbst gesprengt
da die Front näherrückte

ANKLÄGER   Herr Zeuge
Halten Sie es für möglich
daß der Adjutant des Lagerkommandanten
nicht über die Vorgänge in den Krematorien
unterrichtet war

ZEUGE 3   Ich halte es für unmöglich
Jedem der 6000 Mitglieder des Personals
die im Lager arbeiteten
waren die Vorgänge bekannt
und jeder leistete auf seinem Posten
was für das Funktionieren des Ganzen
geleistet werden mußte
Des weiteren wußte jeder Zugführer
jeder Weichensteller
jeder Bahnhofsbeamte
der mit der Verfrachtung der Menschen
**zu tun hatte**

was im Lager geschah
Jede Telegraphistin und Stenotypistin
an denen die Deportationsbefehle vorbeiliefen
wußten davon
Jeder einzelne
in den hundert und tausend Amtsstellen
die mit den Aktionen beschäftigt waren
wußte
worum es ging

VERTEIDIGER Wir protestieren gegen diese Behauptungen
die vom Haß diktiert sind
Niemals kann Haß
eine Grundlage bilden
für die Beurteilung
der hier zur Sprache geführten
Einzelheiten

ZEUGE 3 Ich spreche frei von Haß
Ich hege gegen niemanden den Wunsch
nach Rache
Ich stehe gleichgültig
vor den einzelnen Angeklagten
und gebe nur zu bedenken
daß sie ihr Handwerk
nicht hätten ausführen können
ohne die Unterstützung
von Millionen anderen

VERTEIDIGER Hier steht nur zur Diskussion
was unseren Mandanten
bewiesenerweise vorgehalten werden kann
Vorwürfe allgemeiner Art
bleiben belanglos
vor allem Vorwürfe
die sich gegen eine ganze Nation richten
die während der hier zu erörternden Zeit
in einem schweren und aufopfernden
Kampf stand

ZEUGE 3 Ich bitte nur
darauf hinweisen zu dürfen
wie dicht der Weg von Zuschauern gesäumt war

als man uns aus unsern Wohnungen vertrieb
und in die Viehwagen lud
Die Angeklagten in diesem Prozeß
stehen nur als Handlanger
ganz am Ende
Andere sind über ihnen
die vor diesem Gericht nie
zur Rechenschaft gezogen wurden
Einige sind uns hier begegnet
als Zeugen
Diese leben unbescholten
Sie bekleiden hohe Ämter
sie vermehren ihren Besitz
und wirken fort in jenen Werken
in denen die Häftlinge von damals
verbraucht wurden

ANKLÄGER   Herr Zeuge
können Sie uns aus Ihrer Sicht sagen
wie hoch Sie die Zahl
der im Lager getöteten Menschen
schätzen

ZEUGE 3   Von den 9 Millionen 600 Tausend Verfolgten
die in den Gebieten lebten
die ihre Verfolger beherrschten
sind 6 Millionen verschwunden
und es ist anzunehmen
daß die meisten von ihnen
vorsätzlich vernichtet wurden
Wer nicht erschossen erschlagen
zu Tode gefoltert
und vergast wurde
kam um an Überarbeitung
Hunger Seuchen und Elend
Allein in diesem Lager
sind über 3 Millionen Menschen
ermordet worden
Um aber die Gesamtzahl der unbewaffneten Opfer
in diesem Ausrottungskrieg zu ermessen
müssen wir den 6 Millionen

aus rassischen Gründen Getöteten
3 Millionen erschossene und verhungerte
sowjetische Kriegsgefangene hinzufügen
sowie 10 Millionen Zivilisten
die in den besetzten Ländern umkamen

VERTEIDIGER Selbst wenn wir alle
die Opfer aufs tiefste beklagen
so ist unsere Aufgabe hier
Übertreibungen
und von bestimmter Stelle gelenkten
Beschmutzungen
entgegenzuwirken
Nicht einmal die Zahl von 2 Millionen Toten
läßt sich im Zusammenhang mit diesem Lager
bestätigen
Nur die Tötung von einigen Hunderttausend
hat Beweiskraft
Die Mehrzahl der genannten Gruppen
gelangte nach dem Osten
und als Ermordete können nicht solche zählen
die als Banden aufgegriffen
und liquidiert wurden
oder die als Überläufer
in den feindlichen Armeen fielen
Es wird uns in diesem Prozeß
nur allzu deutlich
welche politischen Absichten
hier die Aussagen bestimmen
über die untereinander zu verhandeln
die Zeugen reichlich Gelegenheit hatten
*Die Angeklagten lachen zustimmend*

ANKLÄGER Das ist eine bewußte und gewollte
Mißachtung und Kränkung
der Toten des Lagers
und der Überlebenden
die sich bereitgefunden haben
hier als Zeugen auszusagen
In einem solchen Verhalten der Verteidigung
wird offensichtlich die Fortsetzung

jener Gesinnung demonstriert
die die Angeklagten in diesem Prozeß
schuldig werden ließ
Das soll hier mit Nachdruck
und mit aller Deutlichkeit
festgestellt werden

VERTEIDIGER Wer ist denn dieser Nebenkläger
mit seiner unpassenden Kleidung
Es entspricht mitteleuropäischen Gesellschaftsformen
mit geschlossener Robe im Gerichtssaal zu erscheinen

RICHTER Wir rufen zur Ordnung
Angeklagter Mulka
Wollen Sie uns jetzt nicht sagen
was Sie im Zusammenhang mit den Vernichtungsaktionen
gewußt und angeordnet haben

ANGEKLAGTER I Ich habe nichts diesbezügliches angeordnet

RICHTER Haben Sie nichts
von den Vernichtungsaktionen erfahren

ANGEKLAGTER I Erst gegen Ende meiner Dienstzeit
Ich kann heute sagen
daß ich von Abscheu erfüllt war

RICHTER Wenn Sie von Abscheu erfüllt waren
warum weigerten Sie sich dann nicht
daran teilzunehmen

ANGEKLAGTER I Ich war Offizier
und kannte das Militärstrafgesetz

ANKLÄGER Sie waren kein Offizier

ANGEKLAGTER I Doch
ich war Offizier

ANKLÄGER Sie waren kein Offizier
Sie haben einem uniformierten
Mordkommando angehört

ANGEKLAGTER I Hier wird meine Ehre angegriffen

RICHTER Angeklagter Mulka
Es handelt sich um Mord

ANGEKLAGTER I Wir waren davon überzeugt
daß es bei diesen Befehlen
um die Erreichung eines versteckten

197

Kriegszieles ging
Herr Präsident
ich bin darunter fast seelisch zerbrochen
Ich wurde so krank davon
daß ich ins Lazarett
eingeliefert werden mußte
Aber das muß ich hier betonen
daß ich alles nur von außen sah
und daß ich meine Finger
aus der Sache hielt
Hohes Gericht
Ich war gegen diese ganze Angelegenheit
Ich wurde selbst
ein Verfolgter des Systems

RICHTER  Was geschah Ihnen denn
ANGEKLAGTER I  Ich wurde verhaftet
weil ich mich defaitistisch geäußert hatte
Drei Monate saß ich in Haft
Nach meiner Freilassung
kam ich in die Terrorangriffe des Feindes
Viele konnte ich damals noch retten
als ich als alter Soldat
bei den Räumungsarbeiten mithalf
Mein eigener Sohn kam um
Herr Präsident
man soll in diesem Prozeß
auch nicht die Millionen vergessen
die für unser Land ihr Leben ließen
und man soll nicht vergessen
was nach dem Krieg geschah
und was immer noch
gegen uns vorgenommen wird
Wir alle
das möchte ich nochmals betonen
haben nichts als unsere Schuldigkeit getan
selbst wenn es uns oft schwer fiel
und wenn wir daran verzweifeln wollten
Heute
da unsere Nation sich wieder

zu einer führenden Stellung
emporgearbeitet hat
sollten wir uns mit anderen Dingen befassen
als mit Vorwürfen
die längst als verjährt
angesehen werden müßten
*Laute Zustimmung von seiten der Angeklagten*

# »Die Ermittlung«

*Entstehung:* Sommer 1964 – Herbst 1965. *Uraufführung:* Offene
Uraufführung am 19. 10. 1965: Freie Volksbühne Berlin (Regie:
Erwin Piscator), Deutsche Akademie der Künste Berlin (Regie:
Karl von Appen, Lothar Bellag, Erich Engel, Manfred Wekwerth,
Konrad Wolf), Theater der Stadt Cottbus, Staatstheater Dresden
(Regie: Heinz Pietzsch), Bühnen der Stadt Essen (Regie: Erich
Schumacher), Bühnen der Stadt Gera (Regie: Jürgen Kern), Städ-
tische Bühnen Köln (Regie: Joachim Mühsam), Landestheater Hal-
le/Leuna (Regie: Klemm, Kramer, Röpke, Veth), Royal Shake-
speare Company London (Regie: Peter Brook), Meininger Theater
(Regie: Dieter Groß), Münchner Kammerspiele (Regie: Paul Ver-
hoeven), Friedrich-Wolf-Theater Neustrelitz (Regie: Rainer R.
Lange), Hans-Otto-Theater Potsdam (Regie: Peter Kupke), Volks-
theater Rostock (Regie: Hanns Anselm Perten), Württembergisches
Staatstheater Stuttgart (Regie: Peter Palitzsch), Nationaltheater
Weimar (Regie: Helmut Pollow).
*Besetzung der Berliner Aufführungen:* 1. Freie Volksbühne Berlin.
Regie: Erwin Piscator. Bühnenbild: Hans-Ulrich Schmückle. Musik:
Luigi Nono
Richter: Dieter Borsche. Ankläger: Günther Pfitzmann. Verteidi-
ger: Horst Niendorf. Zeugen: Kurt Mühlhardt (1), O. A. Buck (2),
Robert Dietl (3), Angelika Hurwitz (4), Hilde Mikulicz (5), Peter
Capell (6), Hugo Schrader (7), Martin Berliner (8), Hans Deppe (9),
Heinz Giese (10). Angeklagte: Tilo von Berlepsch (1), Emmerich
Schrenk (2), Gerd Martienzen (3), Erich Goetze (4), Hellmut
Grube (5), Eric Vaessen (6), Richard Haller (7), Hans Hardt (8),
Gerhard Schinschke (9), Walter Holetzko (10), Peter Schiff (11),
Otto Mächtlinger (12), Lothar Köster (13), Jochen Sehrndt (14),
Alexander Ponto (15), Carlo Kluge (16), Günter Glaser (17), Man-
fred Meurer (18)
2. Deutsche Akademie der Künste Berlin. Regie: Karl von Appen,
Lothar Bellag, Erich Engel, Manfred Wekwerth, Konrad Wolf.
Musik: Paul Dessau
Richter: Hilmar Thate. Ankläger: Alfred Müller. Verteidiger: Die-
ter Knaup. Zeugen: Peter Edel (1), Norbert Christian (2), Ernst
Busch (3), Georgia Peet (4), Helene Weigel (5), Alexander Abusch

(6), Fritz Cremer (7), Raimund Schelcher (8), Erwin Geschonneck (9). Angeklagte: Stephan Hermlin (1), Bruno Apitz (2), Eberhard Esche (3), Rolf Ludwig (4), Wolfgang Heinz (5), Albert Hetterle (6), Wolf Kaiser (7), Horst Drinda (8), Helmut Baierl (9), Bruno Carstens (10), Bert Heller (11), Ekkehard Schall (12), Klaus Wittkugel (13), Werner Klemke (14), Maxim Vallentin (15), Bruno Carstens (16), Peter Sturm (17), Wieland Herzfelde (18). Kommentator: Robert Siewert.

*Erstveröffentlichung:* in »Theater 1965«, Sonderheft der Zeitschrift »Theater heute«, August 1965. »Die Ermittlung« Buchausgabe im Suhrkamp Verlag, Frankfurt am Main, 1965

### Peter Weiss · Zur »Ermittlung«

1. Peter Weiss, Frankfurter Auszüge. In: Kursbuch 1, 1965, S. 152 ff. (Diese Aufzeichnungen von Peter Weiss, datiert Sommer 1964, sind ein Teil der Vorarbeiten des Autors zur »Ermittlung«. Sie handeln – so die redaktionelle Notiz – von »dem, was in Auschwitz, dem, was in Frankfurt, und dem, was in einem Mann vorgegangen ist, der in Frankfurt war.«)

2. Peter Weiss, Meine Ortschaft. In: Atlas, Berlin 1966. Auch in: Peter Weiss, Rapporte, edition suhrkamp, Band 276, Frankfurt am Main, 1968, S. 113 ff.

3. Peter Weiss, Gespräch über Dante. In der Zeitschrift »Merkur«, Köln/Berlin, Nr. 207, Heft 6/1965, S. 509 ff. Auch in: Peter Weiss, Rapporte, edition suhrkamp, Band 276, Frankfurt am Main, 1968, S. 142 ff.

4. Peter Weiss, 10 Arbeitspunkte eines Autors in der geteilten Welt. Erschienen zuerst in der schwedischen Tageszeitung Dagens Nyheter, Stockholm, 1. 9. 1965. Deutsch in: Materialien zu Peter Weiss' »Marat/Sade«, edition suhrkamp, Bd. 232, S. 114 ff.

5. Gespräch mit Peter Weiss. Das Gespräch mit Ernst Schumacher erschien zuerst in »Theater der Zeit«, Berlin, 16/1965, S. 4 ff. Auch in: Materialien zu Peter Weiss' »Marat/Sade«, edition suhrkamp, Bd. 232, S. 102 ff.

# Anhang

# Walter Jens
## »Die Ermittlung« in Westberlin

Es wird häufig behauptet – und der Autor hat das Seine getan, um die Legende zu stützen –, die wahren Verfasser der *Ermittlung* hießen Boger und Kaduk, Stark und Klehr, und Peter Weiss habe sich darauf beschränkt, die Sätze ein wenig zu glätten und den Zeugniswirrwarr in eine einprägsame Szenensequenz zu verwandeln.

In Wirklichkeit aber besteht die *Ermittlung* aus einer mit hohem Kunstverstand exakt ausgeklügelten Bilderabfolge, die das Häftlingsschicksal, im Stil eines konsequent durchgeführten Dante-Zitats, von der Rampe bis in die Todeskammer verfolgt. Wer sich die Mühe macht, die dreifach caesurierten elf Gesänge mit Hilfe einer Graphik zu verdeutlichen, erkennt ein reiches Beziehungs- und Entsprechungsspiel, ein Alternieren von Lokalbeschreibung (Rampe, Lager, Bunkerblock, Feueröfen), von Marter-Darstellung (Schaukel, Schwarze Wand, Phenol, Zyklon B), von Folterknecht- und Häftling-Gesang: hier Stark, dort, durch das Präludium vom Überleben eingeführt, Lili Tofler.

Was auf den ersten Blick als Unisono erscheint, erweist sich bei genauerer Prüfung als wohl gegliedert und bedachtsam nuanciert: Man verfolge das Wechselspiel von Klimax und Antiklimax in den drei Gesangspartien und beachte die andeutende Charakterisierung, ein vorsichtiges Abschattieren der Zeugen: Die Frauen argumentieren anders als die Männer, Zeuge 1 und 2 bilden die Brücke zwischen den Henkern und Opfern (sie sind es auch, die den Anklagebezirk bis in die Sesselreihen der Theater ausdehnen), Zeuge 3 spricht, über die Vorlage hinausgehend, Maximen des Autors.

Auch die Diktion der Akteure ist, bei grundsätzlich gleicher Behandlung des Sprachmaterials, in Winzigkeiten persönlich gehalten – so weit jedenfalls, daß die Figuren nicht zu Typen erstarren. Nach der Lektüre schien es mir so, als habe Weiss bei dieser Personalskizzierung, die nötig ist, um dem Betrachter ein Sich-Identifizieren nahezulegen, eher zuwenig

als zuviel Farbe verwandt. Wie plastisch wird der Jammer-
aspekt, wenn in der Zeugin die Wölfin, wenn in Boger der
sentimentale Biedermännling erwacht und Dialekt-Ein-
sprengsel den Angeklagten Konturen verleihen: »Im Frühjahr 1942 erlegte ich die Reifeprüfung [...].«
An Stellen wie diesen wünscht man sich, der Generalstilisie-
rung zum Trotz, mehr Mundart und Jargon, Akademiker-
Rede und dumpfes Gebruttel, kleine charakterisierende
Sprachakzente, die im Mörder den thüringischen Kleinbürger
oder bayerischen Bourgeois oder den ehrenwerten Familien-
vater aus dem Schwäbischen zeigen, ohne deshalb gleich ins
Psychologisieren und ins Chargenhafte zu geraten. Manchmal, so scheint mir, klingt das keimfreie, akkurat gegliederte
und in Zeilenverse zerteilte Hochdeutsch ein wenig gar zu
schön, zu poetisch –, und zwar auf beiden Seiten der Schran-
ke –, zu gefällig und zuwenig verfremdet. Hier wäre ein
wenig Brechtisches Gegen-den-Strom-Schwimmen, wären Wi-
derhaken, Fallstricke und Fußangeln vonnöten gewesen, um
die Anteilnahme nicht erlahmen zu lassen.
So sehr ich Peter Weissens Scheu vor subjektiver Zutat und
willkürlicher Akzentuierung verstehe: er hat ein Passions-
stück geschrieben und nicht Bernd Naumanns Berichte aus der
*Frankfurter Allgemeinen Zeitung* in Verse gesetzt. Die Kom-
position verrät die Handschrift des Dramatikers und nicht
allein sie: Je entschlossener Weiss die Materialien bündelt
und rafft, je mehr er interpretierend hinzufügt (das Höllen-
signal des uniformen Gelächters!), je konsequenter er seine
Praktik befolgt, die Szenen pointiert-provokatorisch schließen zu lassen – desto wahrer wird seine Geschichte, desto
plausibler die Prozeß-Retraktion auf dem Theater.
Das vermeidbare Auschwitz, das geschichtlich zu rekonstruie-
rende, das wiederholbare Auschwitz scheint mir bei Weiss zu
kurz gekommen zu sein. Ich sehe Boger, aber ich sehe dahinter nicht das fördernde SS-Mitglied, den Herrn Großindu-
striellen, ich sehe Klehr und Kaduk, aber da Weiss es bei dem
einen Ausblick beläßt (hinzunehmen sind vier Anklägerzeilen
im Lili-Tofler-Gesang), sehe ich, auf Exzesse starrend, nicht
die kleinen Zeichen am Wege, *Intellektuelle gehören nicht
zum Volk, Juden vergeben und vergessen nicht, die Kommu-
nisten: unser Todfeind,* die unheilvoll und beängstigend sind.

Zwingt die *Ermittlung* uns, auf die Gegenwart zu reflektieren? Ermutigt sie die jungen Leute vom Schlage jener Schülerin, die, der Lehrerin zum Trotz, die Namen Israel und Auschwitz auf ihre Tür schreiben wollte? Entlarvt sie die Gesellschaft, der die Greueltaten zuzuschreiben sind? Macht sie Gründe sichtbar? Weist Prämissen nach? Zeigt Konsequenzen auf?

Es war ein normaler Volksbühnenabend, »ich habe auf Maigret verzichtet, zum erstenmal«, sagte eine Frau hinter mir; »ein prima Stück«, meinte eine Siebzehnjährige in der Pause, »ich hätte nicht gedacht, daß es so spannend sei«; »ach, der ist das«, flüsterte mein Nachbar, als der Zeuge vortrat, dem Lili Tofler ihren Brief zugeschickt hatte. Die Ausflüchte der Angeklagten wurden belacht, »ach nee« und »denkste«, bei der Erwähnung der Greuel hörte man Anteilnahme, aber das Schluchzen blieb aus. Gelegentlich kam höhnisches Gelächter auf, sehr leise und immer an der richtigen Stelle, die Hauptverachtung – ein erstes Kompliment dem Regisseur Erwin Piscator! – galt den Eskapaden des Verteidigers; am Schluß ging man schweigend, sehr nachdenklich und ernst hinaus; kaum jemand sprach.

Die Inszenierung war der Sache gemäß: anschaulich und rational zugleich. Schwarze Totentafeln bezeichneten die Stationen des Spiels, an der Rampe agierten die graugewandeten Zeugen, von denen Nr. 1 und 2, in Sakkos und mit Schlips, die Verbindung zu den Angeklagten, dunkel gekleideten Herrn in lässiger Haltung, herstellten. Scheinwerfer lösten den einzelnen vom Kollektiv, die oratorische Monotonie wurde durch gestische Akzente vom Tribunal, von der Zeugenbank, von der Henkertribüne aus choreographisch gegliedert. Auf diese Weise traten die Stärken des Stückes deutlich hervor.

Des Stückes; des mit ästhetischen Kategorien zu beurteilenden, der literarischen Kritik zugänglichen Stückes: Weiss hat aus Tausenden von Aktenseiten, aus Widersprüchen und Wiederholungen, aus fixierten Floskeln und stereotypen Wendungen, aus Leidenskatalogen und Schreckenslisten, aus Statistiken und Topographien ein Drama gemacht, in dem – von einigen Ausnahmen, einigen Längen und unnötigen Reprisen abgesehen – alles an seinem Ort steht, in dem jeder

Angeklagte seine Szene erhält, der eine früher, der andere später, der eine als Protagonist, der andere als Choreut... ein Drama, in dem die Prinzipien des Lagers vorgeführt werden und die Haltung der Opfer, schwankend zwischen blindem Selbsterhaltungstrieb, passiver Renitenz und solidarischem Handeln, zur Anschauung kommt.

Hier Monolog, dort, in der Szene vom Unterscharführer Stark, ein Streitgespräch klassischen Stils, hier die schreckliche Lyrik des Sterbens, dort die dramatische Stichomythie: Zitate wurden montiert, Erzählungen gerannen zu Abbreviaturen und Chiffren, Einzelstimme und Chor (die Massenleugnung auf der Anklagebank!) begegneten einander im Wechselgesang.

Soll nicht gefragt werden dürfen (meine Studenten werden Naumanns Berichte, die Protokolle und die *Ermittlung* im Sinne einer Schreibschule miteinander vergleichen), soll nicht erforscht werden, was er ausließ (und warum), was er veränderte (und warum), wo er umgruppierte, raffte, zusammenzog, hinzufügte, erweiterte, wiederholte – um der Plausibilität des Theaters willen und der Wirkung mit den Mitteln des Schauspiels? (Kipphardt hätte mit den gleichen Materialien und der gleichen Freizügigkeit ein ganz anderes, Hochhuth wiederum ein anderes Dokumentations-Stück geschrieben!)

In der Tat, es war ein *Theater*-Abend: Erwin Piscator sei Dank; er hat die optischen Valeurs, Aufspringen und Setzen, Pilatus-Gestik der Angeklagten, Zeugentänze vor dem Tribunal, mit Konsequenz, Entschiedenheit und Ernst gezeigt. Die Inszenierung, auskalkuliert und so wenig widerlegbar wie das Stück, war meisterlich ... sehr schade nur, daß einige Zeugen ins Chargieren gerieten. Die Uniformität der Syntax zwingt den Schauspieler, der sich behaupten will, zu naturalistischen Extravaganzen, zu langen Pausen und Dramolett-Mimik. Ein wenig Dialekt-Anklang, einige syntaktische Variationen der Sätze und eine Abkehr von der ungegliederten Sachverständigen-Diktion (Kaduk ordnet Subjekt, Objekt, Prädikat doch anders als der Herr Capesius!) hätten die Akteure vor dem Ausbruch ins Psychologisieren bewahrt.

Sehr schade auch, daß Luigi Nonos bildüberbrückende Musik so geisterbahnhaft, so grell und Emotionen heischend geriet und damit dem Grundtenor von Inszenierung und Stück, der luziden Spiritualität und rationalen Durchsichtigkeit, widersprach. Gerade um dieser Gesetze willen hätte ich mir dann auch gewünscht, daß Piscator die Zentralpassage des dritten Zeugen bei verdunkelter Bühne und einem einzigen Scheinwerferstrahl hätte hersagen lassen – so wie sie kam, kam sie zu beiläufig, während sich Belangloseres im Schwarz-Weiß-Kontrast an der Rampe herausgestellt sah. Damit aber wurde die einzige Passage abgeschwächt, die, von ganz wenigen Zeilen gegen Schluß abgesehen, geeignet erscheint, den Gegenwartsbezug herauszustellen (ach, hätte Weiss sie doch verstärkt und dem dritten Zeugen noch mehr das Profil des Deuters gegeben!), fähig, nicht nur das wirkliche, sondern auch das mögliche Auschwitz zu zeigen.

Auschwitz als Drohung von morgen: diesen Aspekt habe ich auch in Erwin Picators großer, kluger und präziser Inszenierung in ähnlicher Weise wie bei der Lektüre vermißt. Weiss sollte, scheint mir, sein Stück auf Grund der Publikums-Reaktionen noch einmal durchdenken.

Der Schluß ist zu schwach, es fehlt die Verteidiger-Argumentation, es fehlt die Gegenkraft des Zeugen Nummer 3. Zwischen ihnen beiden: dem Advokaten der Klehr, Boger, Baretzki und dem Sprecher der Opfer, die sich vor Gericht solidarisch erklären – auch sie dazugehörig, auch sie ein Teil der angeklagten Gesellschaft – zwischen ihnen beiden fällt heute und hier die Entscheidung.

*1965*

# Ernst Schumacher
## »Die Ermittlung« von Peter Weiss
### Über die szenische Darstellbarkeit der Hölle auf Erden

Karl Marx meinte im *Elend der Philosophie* metaphorisch, die Geschichtsschreibung müsse die Menschen so darstellen, »wie sie in einem Verfasser und Schauspieler ihres eigenen Dramas waren«. Für die Darstellung dieses objektiven Dramas der Geschichte auf der Bühne hat das Oratorium in elf Gesängen *Die Ermittlung* von Peter Weiss einen doppelten Bezug aufzuweisen. Es hat den Auschwitz-Prozeß zum Gegenstand, der in Frankfurt am Main von 1963 bis 1965 stattfand. Verlauf und Abschluß des Prozesses bestätigten, was es mit der vielzitierten »Bewältigung der Vergangenheit« in der Bundesrepublik auf sich hat. Zeugen wurden bedroht, wenn der Versuch, sie mit Geld zum Schweigen zu bringen, mißlang; sie mußten sich für ihr Überleben rechtfertigen. Das Gericht kam zu äußerst milden Urteilen, die in keinem Verhältnis zur Größe der Straftaten standen.

War dies der eine Bezug, so eröffnete der Gegenstand des Verfahrens den Blick auf eine der größten Tragödien, die die menschliche Geschichte kennt, nämlich die Vernichtung von mehr als drei Millionen europäischen Juden und mehr als dreihunderttausend anderen politischen Gefangenen des Naziregimes. Hier wurde die *Hölle auf Erden* sichtbar, die nicht nur alle Qualen Wirklichkeit werden ließ, die die Eschatologien und die sie illustrierenden Künste die Verdammten erleiden ließen, sondern das Unvorstellbare durch Ungeahntes, nämlich die maschinell betriebenen Todesarten, übertraf. Das System dieser »Fabriken des Todes« wurde in subjektiven Erlebnis- und Tatsachenberichten von Häftlingen beschrieben, die häufig im Titel den Bezug auf die vorgestellte Hölle der Eschatologien und das *Inferno* von Dante hatten; es wurde in wissenschaftlichen Untersuchungen dargelegt: Aber war diesen *Höllen auf Erden* mit den überlieferten Mitteln der Kunst beizukommen, wie den fiktiven Unterwelten und Todesreichen der Vergangenheit? War mit

Auschwitz, als Synonym für die organisierte, systematisierte, rationalisierte, letztlich wissenschaftlich betriebene Entmenschlichung verstanden, nicht tatsächlich das »Ende der Kunstperiode« gekommen, von dem Hegel bereits zu seiner Zeit sprach?

Aber Adorno hatte sein vielzitiertes Wort, *nach* Auschwitz sei Gedichte zu schreiben barbarisch, noch nicht ausgesprochen, als schon bekannt war, daß *in* Auschwitz, stellvertretend für diese *Höllen auf Erden,* Gedichte geschrieben worden waren. Bei Paul Celan in der *Todesfuge* und bei Nelly Sachs in den *Wohnungen des Todes* hatte sich das bewußte Grauen des Massentodes artikuliert, und Johannes R. Becher hatte in dem Gedicht *Kinderschuhe aus Lublin* den Passionsweg der Unschuld in unserem Jahrhundert auf erschütternde Weise beschrieben. Beklemmende Erzählungen, eigene Erlebnisse aufhebend in allgemeinen, typischen Schicksalen von Häftlingen und bewachenden Mördern, schrieben Maria Zarebińska-Broniewska mit *Auschwitzer Erzählungen,* Luise Rinser mit *Jan Lobel aus Warschau,* Arnost Lustig mit *Demanten der Nacht* und Tadeusz Borowski mit *Die steinerne Welt.* Die Systematik des Terrors und des Todes in den Konzentrationslagern wie der Kampf *wahrer Menschen* dagegen wurden in Romanen gestaltet, so in Anna Seghers *Das siebte Kreuz,* Erich Maria Remarques *Der Funke Leben,* Jean Laffittes *Die Lebenden,* Gunther R. Lys' *Kilometerstein 12,6,* Jacqueline Savérias *Ni sains ni saufs,* John Herseys *The Wall,* Bruno Apitz' *Nackt unter Wölfen,* André Schwarz-Barts *Der letzte der Gerechten.* Sogar einzelne Mörder fanden ihre literarische Gestaltung (*Der Tod ist mein Beruf* von Robert Merle; *Die Kommandeuse* von Stephan Hermlin; *Breinitzer* von Hans Frick). Die bildende Kunst fand reale und surreale Gestaltungsmittel, um die *Hölle auf Erden* so auszudrücken wie die Bosch und Breughel die jenseitigen Höllen anschaulich gemacht hatten; es genüge, an die Werke von Lea und Hans Grundig, Otto Dix, Fritz Cremer, Françoise Salmon zu erinnern. Für die Widergabe und Verdeutlichung der äußeren Wirklichkeit der Lager-*Hölle* wie auch für die Veranschaulichung der auf tödliche Weise miteinander verbundenen Opfer und Mörder fand von den darstellenden Künsten der Film den angemessensten Ausdruck, wobei die Dokumentaraufnahmen *das tödliche Leben* und den *lebendigen Tod* am unmittelbarsten wiederzugeben vermochten. Als einziges Beispiel sei hier *Die letzte Etappe* (1947) von Wanda Jakubowska erwähnt. Dagegen hatte das Theater sehr große Schwierigkeiten, diese objektive geschichtliche Tragödie zu gestalten und für das Gedächtnis der Menschheit aufzubewahren. Alle Versuche, diese *Hölle auf Erden* auf unmittelbare Weise theatralisch abzubilden, wurden in ungutem Sinne *theatralisch*. Das Wesen dieser Höllen, das in der multiplen Faktizität von *Lebensqualen* und *Todesarten* bestand, ließ sich auf der Bühne nur »vordergründig« anschaulich machen.

Hedda Zinner gestaltete in ihrer *Ravensbrücker Ballade* ein Motiv aus der schrecklichen Geschichte der Vernichtung von mehr als 90 000 Frauen und Kindern im KZ Ravensbrück, nämlich die Rettung einer russischen Widerstandskämpferin durch die Solidarität der politischen Gefangenen und die Mithilfe einer Kriminellen. Eigentliche Heldin dieses Schauspiels ist die Blockälteste Maria, die für die Rettung der russischen Genossin kurz vor der Befreiung sterben muß. Entwicklung, Verknüpfung und Lösung der Fabel kommen nicht ohne grobe Verstöße gegen die äußere Wahrscheinlichkeit zustande; gemessen an der schrecklichen Realität des Lagers, müssen zweitrangige, sich im Zufälligen erschöpfende Vorgänge veranschaulicht werden, weil die *Fabrik des Todes* nicht in Funktion gezeigt werden kann. Die Aufführung in der Berliner Volksbühne ließ die unmittelbare Nachgestaltung und Abbildung auch nur der Bereiche der KZ-Hölle, in denen es vergleichsweise noch menschlich zuging, unrealistisch, das heißt der Wirklichkeit unangemessen erscheinen, von der wir entweder aus eigener Erfahrung oder durch Beschreibung Kenntnis haben. Auf besonders eklatante Weise erwies sich dies in dem Stück, dessen Titel als repräsentativ für Stücke dieser Art angesehen werden kann, nämlich dem *Stellvertreter* von Rolf Hochhuth. Hochhuth unternahm im fünften Akt des Stückes den Versuch, gleichsam den *Fokus der Hölle*, die Vergasungs- und Verbrennungsanlagen von Auschwitz, mit ins Spiel einzubeziehen. Aber das Weltanschauungsgespräch in Schillerscher Diktion zwischen dem stellvertretend für seinen Papst und seine Kirche leidenden Pater Riccardo und dem dämonisierten »Doktor«, Stellvertreter des Todes, angesichts der in den Gastod ziehenden Opfer und des Feuerscheins der Krematorien gehört zu denjenigen dramatischen Gestaltungen, bei denen innere und äußere Wahrscheinlichkeit und Wahrheit, Realität und Idealität (als Absicht des Autors verstanden, für die Vermittlung tieferer Erkenntnisse einen angemessenen künstlerischen Ausdruck zu finden) in unaufhebbare Widersprüche geraten. Die letzte Szene, in der Riccardo mit der römischen Jüdin Carlotta zusammentreffen muß, um den roten Faden der Handlung zu Ende zu bringen, und die mit der Erschießung der beiden durch den »Doktor« endet, sinkt in herkömmliche Theatralik ab. Selbst wenn es sich bei dieser Ermordung um die Nachgestaltung eines wirklichen Vorganges handelte, behielte die Darstellung einen episodischen Charakter, die das Typische des massenhaften, millionenfachen Vorgangs nicht zu erfassen und auszudrücken vermöchte, daß hier Jahre hindurch Tausende von Menschen nichtsahnend, wenn ahnend, so resigniert, passiv, gleichsam gelähmt, in den Gastod gingen; daß hier der Mord durch seine Quantität eine unfaßbare Größe bekommen hat; daß das stellvertretende Mit-Leiden jeglichen Sinnes beraubt wurde.

Die Totalität der *Hölle auf Erden* versuchte Rolf Honold in dem Schauspiel in fünf Bildern ... *und morgen die ganze Welt* in den dramatischen Griff zu bekommen, indem er den Alltag des inneren Betriebes eines KZ in der Phase des Zusammenbruchs nachgestaltete. Auch bei ihm wirkt die Art, wie die stellvertretenden Opfer des Mordsystems in den Tod geschickt werden und gehen, melodramatisch; sie steht im Widerspruch zur gleichsam kalten, massenhaften, anonymen Schändung und Auslöschung der Opfer. Diesen *funktionierenden* Tod versucht Honold dadurch zu gestalten, daß er ihn als Schreibstubenvorgang sich zutragen läßt. Diktierte Berichte über die täglichen Zu- und Abgänge, Briefe der Firma Topf über die besten Verbrennungsöfen, Briefe der SS-Hauptverwaltung über die Zuteilung von Armbanduhren aus dem Besitz vergaster Häftlinge an Heer, Marine und SS, Briefe des Lagerarztes und der IG-Farben über durchgeführte und durchzuführende medizinische Versuche an Häftlingen werden in die Handlung hineingeflochten, um diesen neuartigen Mechanismus der Menschenvernichtung zu kennzeichnen. Um das Wesen des Systems zu verdeutlichen, muß Honold also zu Schilderung und Bericht, letztlich zum Dokumentarischen greifen, auch wenn dies der herkömmlichen Dramaturgie, die er anwendet, widerspricht.

Angesichts der Schwierigkeit, vielleicht sogar der Unmöglichkeit, direkte Abbildungen dieser *Höllen auf Erden* auf dem Theater anzufertigen, haben andere Autoren versucht, mittelbare Abbildungen herzustellen.

Ein besonders typisches Beispiel ist die dramatische Chronik aus dem Warschauer Ghetto *Ich selbst und kein Engel* von Thomas Christoph Harlan. Der historische Vorgang, der Aufstand der im Ghetto von Warschau internierten Juden im Jahre 1943 gegen die Nazi-Mörder, die sie in das Vernichtungslager Treblinka überführen wollen, wird als *Spiel im Spiel* vorgeführt, das ein israelischer Kibbuz zur Belehrung seiner Landsleute aufführt. Harlan benützt die Stilmittel des epischen Theaters Brechts, die demonstrative Spielweise, um die entscheidenden Umschläge des historischen Vorgangs herauszustellen. Er läßt typische Haltungen vorführen, z. B. die Mitwirkung der Juden durch den Judenrat und die jüdische Polizei an ihrer eigenen Vernichtung, grausame Spiele der hungrigen Kinder, Beschlüsse und Maßnahmen der sich erhebenden Kämpfer. Er benützt die stilisierte metaphernreiche Rede, den gesungenen Appell, die lyrische Einlage, Mittel, um der dramatisch-demonstrativen Verkürzung eine große Form zu geben, und immer wieder kommt es ihm auf gestische Eindringlichkeit an.

Vergleicht man Harlans demonstrative Chronik mit dem auf Nachahmung der gleichen Vorgänge angelegten Schauspiel *Die Mauer* von Millard Lampell (nach dem Roman *The Wall* von John Hersey), wird sofort klar, daß die demonstrative Spielweise, wie sie das Werk Harlans kennzeichnet, einen weitaus höheren Grad theatralischer Angemessenheit ergibt als die auf Nachahmung und Vortäuschung realen Geschehens ausgehende Dramaturgie des Amerikaners. Aber auch bei der *Poetisierung*, wie ich vereinfacht das Verfahren Harlans nennen möchte, geht die Dimension des Schreckens verloren, die uns jede Aufnahme von dem umkämpften Ghetto unmittelbar zu vermitteln vermag und die uns aus den Stroop- und anderen Dokumentarberichten anspringt.

Sich der Schwierigkeit bewußt, unmittelbare und mittelbare Nachbildungen der *Hölle auf Erden* auf dem Theater zu geben, haben sich andere Autoren mit der unmittelbaren und mittelbaren Nachbildung von Vorgängen der *Vorhölle* und *Nachhölle* des faschistischen Mordsystems begnügt. Für den Versuch einer unmittelbaren Nachbildung der *Vorhölle* seien *Zwischenfall in Vichy* von Arthur Miller und *Joel Brand* von Heinar Kipphardt, für den Versuch einer mittelbaren Gestaltung das parabolische Stück *Andorra* von Max Frisch erwähnt. Die besondere Schwierigkeit bei diesen Versuchen liegt darin, den unmittelbaren Bezug zur uns bedrängenden Gegenwart, wenn man so will, zur *Nachhölle* des Faschismus, herzustellen, uns das »tua res agitur« der dargestellten Vorgänge zum Bewußtsein zu bringen. Miller muß sich, um diese Verbindung zu bewerkstelligen, auf Kommentare außerhalb des Stückes beschränken, in denen er die moralische Verantwortung aktualisiert, zu der sich der Haupthheld seines Stückes, der österreichische Aristokrat von Berg, durchringt, als er sich für den jüdischen Psychiater Leduc opfert, der für die »Endlösung der Judenfrage« in den Gaskammern von Auschwitz erfaßt werden soll.

Kipphardt verdeutlichte die gesellschaftliche Relevanz seiner *Geschichte eines Geschäfts,* nämlich des Angebots Eichmanns an die Alliierten, 1 Million ungarische Juden gegen 10 000 winterfeste Lastwagen freizugeben: »Gewisse Züge des Eichmann-Geschäfts findet man in jedem Geschäft.« Frisch zeigt in Zwischenszenen, daß die Bürger von Andorra, die den vermeintlichen Judenjungen Andri verraten haben, in ihrer Mehrheit auch heute keine Schuld anerkennen. Ersichtlich ist, daß alle drei Autoren in starkem Maße auf das politisch-gesellschaftliche Abstraktions- und Konkretionsvermögen ihrer Zuschauer vertrauen müssen, um *die Brücke* zwischen Vergangenheit, Gegenwart und möglicher Zukunft schlagen zu können. Ersichtlich ist auch, daß die parabolische Gestaltung Frischs mehr perennierende gesellschaftliche Relevanz aufzuweisen hat als die auf unmittelbarer Nachahmung und Abbildung beruhenden Stücke von Miller und Kipphardt.

Bei den Stücken, die unmittelbar oder mittelbar die »Nachhölle« des Faschismus gestalten, besteht die Unzulänglichkeit wiederum mehrfach darin, daß die *Hölle* gleichsam außer

Sicht gerät, zumindest nicht auf eine Weise anschaulich wird, die für das Verständnis ihres Wesens unerläßlich ist. Die Dramatiker, die diese *Nachhölle* gestalten, wollen dem Zuschauer ehrlich zum Bewußtsein verhelfen, daß die bestehende Gesellschaft noch allzu viele Elemente des Faschismus in sich trägt und keineswegs davor gefeit ist, erneut zu »entarten«. Das beweisen solche Stücke wie *Sperrzonen* von Stefan Andres, *Die Stunde der Antigone* von Claus Hubalek und *Eiche und Angora* sowie *Der schwarze Schwan* von Martin Walser. Die beiden ersten machen deutlich, wie sich die bürgerliche Gesellschaft von den begangenen KZ-Verbrechen durch *Gras über Gräbern*, durch Verschweigen, Vergessen und Vergessenmachen zu entledigen trachtet. Einzelne, Mitschuldige, Mitbetroffene, stehen dagegen auf, genau besehen: sie opfern sich zur Sühne, zu der die Gesellschaft als ganzes nicht gewillt ist. Das zur geschichtlichen Entscheidung drängende Problem, die Veränderung der Grundlagen der Gesellschaft, die das KZ-System hervorgebracht hat, wird durch die moralische Stellvertretung einzelner *verdrängt*, das Wesen des Faschismus wird nicht historisch konkret erfaßt und erfaßbar gemacht. Die *Hölle auf Erden*, Anlaß der dramatischen Auseinandersetzung, bleibt relativ unanschaulich, wenn sie nicht im Bereden gleichsam *zerredet* wird.

In der deutschen Chronik *Eiche und Angora* spielt die faschistische *Hölle auf Erden*, das KZ, nur eine mittelbare Rolle. Das Schwergewicht der parabolischen Veranschaulichung liegt in der Absicht des Dramatikers, die Restauration der faschistischen Kräfte, die neue, demokratisch getarnte *Machtergreifung*, aufzuweisen. In *Der schwarze Schwan* dagegen wird die *Bewältigung der Gegenwart* zu einer unmittelbaren Auseinandersetzung mit einer der faschistischen Höllen, der Vernichtung »lebensunwerten Lebens« in den Heil- und Pflegeanstalten. Der Held, Sohn eines dieser *Mörder im Arztkittel*, versucht vergeblich, die Täter zum Bewußtsein und zum Bekenntnis ihrer Schuld zu bringen; nicht einmal die gleichaltrige Irm, als Kind selbst vom tödlichen Flügelschlag des Schwarzen Schwans gestreift, will ihn verstehen, so daß er sich erschießt. Die Verbindung von *Hölle* und *Nachhölle* ist hier am bündigsten entwickelt, das Grauen der Vernichtung »lebensunwerten Lebens« erfährt eine hervorragende, metaphorisch dichte Beschreibung, getroffen ist die Mentalität der Mörder, deutlich wird die Zersetzung der Gegenwart durch die nichtbewältigte Vergangenheit. Trotzdem blieb dem Stück ein wirksamer Erfolg versagt. Das kann nicht allein damit erklärt werden, daß in der Bundesrepublik der politisch-moralische *Resonanzboden* fehlt. Der Grund ist auch darin zu suchen, daß die Fabel des Stückes *erfunden* ist, so daß renitenten wie resistenten Zuschauern die Ausrede blieb, das Gezeigte sei weder authentisch noch typisch; wenn überhaupt, betreffe es nur einen kleinen Kreis. Die Kategorie der allgemeinen Relevanz, der unvermeidlichen Betroffenheit eines jeden war nicht erreicht.

Der Fortschritt, den *Die Ermittlung* gegenüber diesen dramatischen Versuchen darstellt, besteht eben darin, daß in ihr *Vorhölle, Hölle* und *Nachhölle* des Faschismus in gleicher Weise erfaßt, auf eine der traditionellen Theaterform gemäße Weise zur Darstellung gebracht und die Zuschauer zu einer unvermeidlichen, jeden betreffenden Auseinandersetzung herausgefordert werden. Weiss hatte in seinem Stück *Die Verfolgung und Ermordung Jean Paul Marats dargestellt durch die Schauspielgruppe des Hospizes zu Charenton unter Anleitung des Herrn de Sade* eine *stereometrische Sicht* der Geschichte gegeben. Um zu einer verbindlichen Aussage über die Zeit von 1964 in der Bundesrepublik zu kommen, nämlich der, daß die Klassengegensätze trotz aller Kaschierungen fortbestehen und daß es in letzter Instanz keinen dritten Standpunkt zwischen Ausbeutern und Ausgebeuteten geben kann, mußte Weiss die Sicht auf das Jahr 1793, das Jahr des unvollendeten Siegs der Ausgebeuteten, durch die Sicht des Jahres 1808, des Jahres des scheinbar vollendeten Siegs der Ausbeuter, brechen. Diese Stereometrie der Zeit verwies zwar tief in die Geschichte, aber sie erschloß die Gegenwart nur mittelbar. Wenn Weiss den Auschwitz-Prozeß als künstlerischen Gegenstand wählte, so war diese Stereometrie der Zeit *vorgegeben*. Die aktuelle *Zeit von Frankfurt* wurde nicht durch die *Zeit von Auschwitz* gebrochen, sondern diese brach unmittelbar immer wieder, vom Gegenstand her, in die andere *ein*, brach aus ihr unmittelbar, als Sache selbst, *hervor*. Mit der *Hölle* stand die *Nachhölle* selbst zu Gericht, im Gerichtsprozeß kam der Geschichtsprozeß mit einer seiner teuflischen Kulminationen zur Verhandlung, der Prozeß gegen die Unmenschen konnte nur geführt werden, wenn der Prozeß der Entmenschlichung zum Gegenstand des Verfahrens gemacht wurde, der *folgerichtig* zu Auschwitz geführt hatte. Die Verbindung von *Hölle* und *Nachhölle,* die sich in den anderen Stücken nur mehr oder weniger konstruiert herstellen ließ, erfolgte hier auf organische, immanente wie emanente Weise. Die *Er*mittlung der Wahrheit konnte nur erfolgen, wenn das Wesen des Faschismus *ver*mittelt wurde. Die Form dieser Ermittlung aber machte immer wieder deutlich, daß die materiellen und ideellen Grundlagen dieses Wesens in der Bundesrepublik nicht beseitigt sind, so daß die Gefahr besteht, dieses Wesen restauriere sich nicht nur, sondern materialisiere sich auf eine Weise, die das Inferno von Auschwitz letztlich an Effektivität überträfe.

Da das unmenschliche Leiden und Sterben von Millionen Menschen in den Konzentrationslagern Ausdruck des innersten und gleichzeitig *äußersten* Wesens des Faschismus sind, verdienen sie, als Menetekel auch durch die Kunst ins Bewußtsein der Menschen gehoben und im Gedächtnis der Menschheit aufbewahrt zu werden. Die Stücke, die den Versuch einer unmittelbaren Abbildung dieser Hölle unternahmen, beweisen, daß eine solche Darstellung die neue Dimension des Schrecklichen nicht zu erfassen und anschaulich zu machen vermag. Auch die mittelbaren Veranschaulichungen gespielter Art vermögen Extensität und Intensität dieser Höllen nur bedingt auszudrücken. Wenn die Dramatik des Theaters überhaupt eine Möglichkeit hat, diese neue Dimension der Entartung wie der Erhebung des Menschlichen in der *Hölle von Auschwitz,* als perfektestes Modell aller KZ-Höllen verstanden, zu erfassen und den unheimlichen Mechanismus des Massentodes begreifbar zu machen, dann bleibt auch für das Theater als angemessenstes Medium nur *der Bericht* übrig. Will das Theater das Wesen des Faschismus in seiner Totalität wie Singularität vermitteln, sieht es sich fast gezwungen, die Form seiner Anfänge auf- und anzunehmen: des antiken griechischen Theaters, wo der Protagonist berichtete, der Chor Fragen stellte und kommentierte; des frühen Mittelalters, wo die Begebnisse, über die die Heilige Schrift berichtet, erst monologisch, dann dialogisch zum Vortrag kamen. Um ausdrücken zu können, welch Ungeheuer und welch Ungeheures der Mensch in der *Hölle auf Erden* ist, die der Faschismus schuf, sieht sich das Theater auf der Erscheinung nach statische, dem Ausdruck nach epische Formen seines Beginns angewiesen, es hört eigentlich auf, Theater im herkömmlichen Sinne zu sein. Wenn Weiss sein Drama *Oratorium* nennt, so ist das nicht nur folgerichtig, weil es sich um die Totenklage handelt, sondern weil das Oratorium einen statischen, *undramatischen,* im wesentlichen aktionslosen Charakter hat. Diese Form des Berichtens ermöglicht es, sowohl das Allgemeine wie das Besondere der faschistischen *Hölle* zu erfassen und auszudrücken. Sie erlaubt eine Beschreibung des Systems, bei dem wahrhaftig *der Teufel im Detail* ebenso steckte, wie er das Ganze beherrschte. Sie ermöglicht die Bewußtmachung der »Eskalation« des Terrors bis zur physischen Vernichtung einzelner wie ganzer Gemeinschaften. Sie ermöglicht die ideelle Verallgemeinerung wie die konkrete Beschreibung der Einzelheiten. Nur sie ermöglicht die *Panoramasicht* wie den Blick auf die Besonderheiten und *die Besonderen.* Nur sie ermöglicht es, die allgemeine Charakterisierung des Lager-»Lebens« mit der Charakterisierung von einzelnen Toten und Überlebenden zu verbinden, die als besonders typisch, als repräsentativ für Verunmenschlichung oder *Übermenschlichkeit,* für Schurken- oder für Heldentum bewertet zu werden verdienen. Das Spezifische dieser Form, die Totalität und Detail der *Hölle von Auschwitz* erfaßt, liegt aber bei Weiss eben darin, daß sie organischer Ausdruck für das gewählte Medium der Veranschaulichung ist, nämlich das prozessuale Verfahren gegen die SS-Mörder in Frankfurt. Die Aussagen der Zeugen wie der Angeklagten haben notwendig die Form des Berichts, der wiederum, wie dargelegt, die letztlich einzige Form ist, um die tödlichen Schrecken und die schrecklichen Tode von Auschwitz künstlerisch gegenwärtig zu machen.

Weiss hat die Zahl von annähernd vierhundert Zeugen, die in Frankfurt Aussagen machten, auf neun, die der Angeklagten auf achtzehn reduziert. Die Wahrheitsfindung wird betrieben von einem Richter und einem Ankläger, sie wird behindert durch einen Verteidiger. Die Zeugen, von denen zwei für die Angeklagten aussagen, bleiben anonym, um auszudrücken, daß sie im KZ bestenfalls als Nummern behandelt wurden; die Angeklagten haben die Namen der Angeklagten im Prozeß, um auszudrücken, daß sie während der Zeit, die zur Verhandlung steht, ihren Namen behalten hatten. Diese Personen-Konfiguration macht bereits klar, daß es Weiss auf Konzentrierung ankam, ankommen mußte, um dem ungeheuren Komplex eine dramatische Form zu geben. Um Totalität und Systematik der Hölle begreiflich zu machen, faßte Weiss die Aussagen und Einlassungen zu Komplexen zusammen. In der Aufeinanderfolge der Gesänge wird die Stufung der Entmenschlichung bis zur Auslöschung in den Gaskammern und Krematorien ersichtlich:

Gesang von der Rampe / Gesang vom Lager / Gesang von der Schaukel / Gesang von der Möglichkeit des Überlebens / Gesang vom Ende der Lili Tofler / Gesang vom Unterscharführer Stark / Gesang von der Schwarzen Wand / Gesang vom Phenol / Gesang vom Bunkerblock / Gesang vom Zyklon B / Gesang von den Feueröfen. Sowohl Gliederung des Gesamtstoffs wie Dreiteilung des einzelnen Gesangs erfolgt scheinbar ohne zwingenden Grund, wie sie es andererseits unvermeidlich macht, daß in den unterschiedenen Gesängen zum Teil die gleichen Vorgänge geschildert werden. Aber diese Gliederung verrät bei genauerem Hinsehen ein höheres Prinzip. Sie weist auf die Rezeption einer der größten Dichtungen hin, in denen ein Dichter über seine Zeit zu Gericht saß, nämlich die *Divina Commedia* des Dante Alighieri, die aus drei Teilen, dem *Inferno,* dem *Purgatorio* und dem *Paradiso* zu je 33 Gesängen besteht. Weiss hat selbst in mehreren Beiträgen auf diesen inneren Zusammenhang zwischen der Form, die er für sein Auschwitz-Stück wählte, und der *Göttlichen Komödie* hingewiesen. Mit dem Auschwitz-Prozeß konfrontiert, empfand er das *Inferno* als Grundmuster für die dramatische Erfassung des zeitgenössischen *Infernos* von Auschwitz. Die *Nachmodellierung* ermöglichte Weiss nicht nur, dem Prozeß-Komplex eine übersichtliche Struktur zu geben, sondern gleichzeitig die neuen »Höllenkreise« auszuschreiten und zu kennzeichnen. Weiss gelang durch die Rezeption einer klassischen Formgebung nicht nur, einen ungeheuerlichen Stoff zu erfassen, sondern er entging durch die Rezeption auch der Gefahr, sich in der unmittelbaren Nachgestaltung des Prozesses zu verlieren. Dabei verzichtete Weiss völlig auf die Poetisierung, wie sie für Dante kennzeichnend ist. Er verknappt dokumentarische Berichte und authentische Aussagen und überträgt sie in freie Rhythmen, wobei häufig der originale Text erhalten bleibt. Gerade diese sachliche Stilisierung steigert die emotionale Wirkung, wie sie andererseits der rationalen Durchdringung, dem Verständnis des Berichteten wie des prozessualen Vorgangs dient. Lieferte der *Marat* ein Modell für *totales Theater*, so adaptierte Weiss in der *Ermittlung* ein künstlerisches Modell, um die Totalität der Tragödie von Auschwitz zu erfassen und auszudrücken. Gerade wegen dieser Rezeption und Adaption eines klassischen künstlerischen Modells gehört *Die Ermittlung* zu den wirklich avantgardistischen Versuchen, für große, weltbedeutende Thematik eine große, die Welt deutende Form zu finden.

Weiss blieben Zweifel nicht erspart, ob er nicht dadurch, daß er die *Hölle auf Erden* zum Gegenstand der Kunst mache, sich selbst schuldig mache, indem er sich mit der Darstellung selber freispreche und sich außerhalb der Schuld begebe. Eine Rechtfertigung fand Weiss schließlich in der Absicht, durch die Darstellung zum Bewußtsein, durch dieses zur Veränderung der Gesellschaft beizutragen:

»Dante suchte nach dem Sinnvollen. Für uns ist das Sinnvolle die Ergründung jedes Zustands und die darauf folgende Weiterbewegung, die zu einer Veränderung des Zustands führt.«

Das ist eine radikale Hinwendung zur Diesseitigkeit; die Vernunft, nicht die Religion, ist der Richtstrahl, und nur im Handeln, nur in der Veränderung der bestehenden gesellschaftlichen Verhältnisse kann der heutige Dante Genugtuung und Rechtfertigung finden:

»Damals tat Dante, was in seiner Macht stand. Er vermittelt mir sein Suchen nach der Wahrheit. Auf dieser Suche ist er unermüdlich. 650 Jahre später würde er auch dazu kommen, daß es keinen himmlischen Lohn für einmal Erlittenes gibt, und daß die Anlässe des Leidens hier, zeitlebens, beseitigt werden müssen. Er würde eindeutig aussprechen, daß die Untäter überall zwischen uns am Werk sind und hier, zeitlebens, bekämpft werden müssen.«

Die völlige Antimetaphysik, zu der sich Weiss bekennt, die gänzliche *Verweltlichung* seines Denkens läßt ihn auch zu einer Umwertung der Danteschen, im Grunde der christlichen Vorstellungen von den Orten des Unheils und des Heils kommen. Da er das Paradies, den Ort, der für die Auserwählten, die Verfolgten, Gepeinigten, Unterdrückten bestimmt ist, nicht im Jenseitigen finden kann, muß er es als »konkrete Gegend unserer Welt« suchen, wie Weiss sagt, und auf der Suche danach stößt er auf Orte wie Auschwitz, wo diese Menschen zusammengetrieben und vernichtet wurden. Hölle und Paradies sind also zu gewissen Zeiten identisch. Was sich scheinbar als bloßes Mittel der *Poetisierung,* als Wiederverwendung eines Modells zur Bewältigung eines tragischen Komplexes der Geschichte ausnimmt, erhält durch diese *Ideologisierung* eine tiefere politische Bedeutung. Das Begreifen der Hölle ist die Voraussetzung dafür, daß die Menschen einen Zustand zu schaffen vermögen, in dem sie Menschen sein können – und dieser Zustand ist die einzig mögliche Form eines *Paradieses auf Erden.*

Dieses Begreifen setzt aber nicht nur die Schilderung der *Hölle,* sondern eine Erklärung ihrer Ursachen voraus. In der Suche nach diesen Ursachen wurde die Auseinandersetzung mit dem Auschwitz-Prozeß für Weiss zu einer Selbstverständigung über die Grundlagen der heutigen menschlichen Gesellschaft. Beim Studium der Dokumentationen über das KZ Auschwitz stieß Weiss auf die Beweise, daß SS und Industrie, voran die Konzerne IG-Farben, Krupp, Siemens, in Auschwitz eine besonders ins Auge springende »verschworene Gemeinschaft« zur Ausbeutung der Menschen bis zu ihrer physischen Vernichtung eingegangen waren, ein Aspekt, der sich für ihn schließlich als Schlüssel für das ganze KZ-System enthüllen sollte. Einem Zeugen der *Ermittlung* legt er diese Erkenntnis in den Mund:

»Wir müssen die erhabene Haltung fallenlassen / daß uns diese Lagerwelt unverständlich ist / Wir kannten alle die Gesellschaft / aus der das Regime hervorgegangen war / das solche Lager erzeugen konnte / Die Ordnung die hier galt / war uns in ihrer Anlage vertraut / deshalb konnten wir uns auch noch zurechtfinden / in ihrer letzten Konsequenz/ in der der Ausbeutende in bisher unbekanntem Grad / seine

Herrschaft entwickeln durfte / und der Ausgebeutete / noch sein eigenes Knochenmehl / liefern mußte.«

Auch andere bürgerliche Autoren, die sich mit der KZ-Thematik auseinandersetzten, von den hier erwähnten Dramatikern z. B. Hochhuth und Honold, haben diese Verflechtung von Ausbeutung und Vernichtung der Menschen registriert und dokumentiert.

Aber nur Weiss schritt von der *Erkenntnis* der Tödlichkeit des Kapitalismus und Imperialismus zum *Bekenntnis* für den Sozialismus weiter. Aus den Sequenzen des Unheils zog er zu eben der Zeit, als er sie künstlerisch zu erfassen versuchte, die Konsequenzen für sein eigenes politisches Verhalten. Er distanzierte sich von der Haltung eines »dritten Standpunktes«, den er noch im *Marat* eingenommen hatte. In den *10 Arbeitspunkten eines Autors in der geteilten Welt*, die er vor der Aufführung des Oratoriums veröffentlichte, bekannte er: »Zwischen den beiden Wahlmöglichkeiten, die mir heute bleiben, sehe ich nur in der sozialistischen Gesellschaftsordnung die Möglichkeit zur Beseitigung der bestehenden Mißverhältnisse in der Welt.«

Gerade *Die Ermittlung* sollte zu einer Parteinahme in diesem konkreten Sinne werden. Weiss erläuterte: »Das Stück entbehrt nicht der aktuellen Sprengkraft. Ein Großteil davon behandelt die Rolle der deutschen Großindustrie bei der Judenausrottung. Ich will den Kapitalismus brandmarken, der sich sogar als Kundschaft für Gaskammern hergibt.«

Weiss begnügte sich daher auch nicht damit, die Beteiligung der deutschen Konzerne an dem Verbrechen von Auschwitz detailliert zu schildern, sondern zeigte, wie die Verantwortlichen von damals entweder wieder verantwortliche Posten in den westdeutschen Monopolen innehaben oder von diesen materiell ausgehalten werden. Aber auch damit gab er sich nicht zufrieden, sondern ließ den Ankläger die Verfolgung der Blutlinie der Ausbeutung mit der Feststellung schließen: »Lassen Sie es uns noch einmal bedenken: daß die Nachfolger dieser Konzerne heute / zu glanzvollen Abschlüssen kommen / und daß sie sich wie es heißt / in einer neuen Expansionsphase befinden.«

Tatsächlich ist das »Oratorium« erst durch die offene Parteinahme aus dem Ästhetikum zu einem Politikum geworden.

Durch diese Politisierung wurde die bloße moralische Entrüstung über Auschwitz historisch-konkret *gestellt*; die leicht einnehmbare Distanzierung von den belangten Mördern und ihren Untertanen zur Stellungnahme vorangetrieben, ob nicht das System, nicht bloß »seine Männer«, historisch belangt werden müßten; das bloße Einverständnis mit einer Klage über die Opfer nicht nur zum Einverständnis mit der Anklage gebracht, sondern zum Einverständnis mit der Sache des Sozialismus fortgeführt, der den Kapitalismus, die Grundlage des Faschismus, aus der Welt schafft. Deshalb die »Warnungen« der Sprachrohre des Monopolkapitals vor einer Aufführung, deshalb deren leidenschaftliche Reaktionen gegen die Aufführungen.

Ein bürgerlicher »Schreiber im Dienst« klagte darüber, mit der *Ermittlung* geschehe dem Theater »Gewalt«, weil »blutige Dokumente die Darstellung« verträten, so daß »das Gewissen falsch aufgerührt und falsch beschwichtigt« werde.

Weiss wird also »Theater der Grausamkeit« vorgehalten, das gemeinhin bei der bürgerlichen Kritik als Bemühen des dramatischen Avantgardismus durchaus für interessant befunden wird.

Tatsächlich hebt aber eben *Die Ermittlung* das alte und neue »Theater der Grausamkeit« auf.

Die Darstellung, nicht bloß die Schilderung blutigster Greuel, wie sie in der geschichtlichen Wirklichkeit vorgefunden, wie sie von der Phantasie der Dramatiker erfunden wurden, galt im siebzehnten und im achtzehnten Jahrhundert auf der deutschen Bühne durchaus als schicklich. Greuel aller Art sind nach Scaliger, Opitz, Heinsius erklärter Gegenstand der Tragödie. In den Haupt- und Staatsaktionen, in den Stücken der Schlesischen Schule wurden sie expressis verbis et gestibus dargestellt. In Auschwitz aber wurden diese Greuel Wirklichkeit. Wenn der Nachfahre der barocken Greueldramatiker, Gerstenberg, den Tod des Verhungerns auf die Bühne brachte, den der unmenschliche Ruggieri über den Grafen Ugolino und seine Söhne verhing, so beschrieb der polnische Zeuge Kral im Auschwitz-Prozeß, wie Kurt Paschala aus Breslau im Stehbunker von Auschwitz den gleichen Tod erlitt. In der *Ermittlung* berichtet der Zeuge 8 über diesen gräßlichen fünfzehntägigen Hungertod. Hierin kommt schon ein entscheidender Unterschied zum Ausdruck. Weiss unternimmt überhaupt nicht den Versuch, die realen Greuel »realistisch« auf der Bühne darzustellen, während es das Bestreben der Barockdramatiker und ihrer Nachfahren wie Gerstenberg gerade war, den äußersten Grad an Echtheit in der Abbildung solcher Greuel zu erzielen. Weiss geht keineswegs auf die Auslösung von Affekten aus, weder in der Form des wollüstigen Grausens (des Sadismus) noch der grauen-vollen Rührung, sondern auf sachliche Konfrontation mit und gleichzeitige Distanzierung von dem Nicht-mehr-für-möglich-Gehaltenen, dem Rückfall in die Barbarei in der ersten Hälfte des zwanzigsten Jahrhunderts im »zivilisierten«, »kultivierten« Europa. Wenn er das Wesen der *Hölle auf Erden* erfassen und ausdrücken will, kann er die Greuel nicht aussparen, er muß beim Namen nennen, wozu die Menschen fähig, er muß stellvertretend *einen* Namen nennen für die vielen Unbekannten, die das gleiche ungeheuerliche Schicksal erlitten. Wenn Benennung und Benamung unzweifelhaft starke Gefühlswerte auslösen, so erfolgen sie doch nicht, um bloßes Mitleid auszulösen, sondern um Bewußtsein zu affizieren. Die alten Dramatiker des Grauens ließen ihre Schauerstücke häufig mit einer Vertröstung auf Lohn und Rache im Jenseits, auf Himmel und Hölle ausklingen. Die »Endlösung« schließt jede irgendwie beschaffene »Erlösung« aus. Weiss hat für die *Hölle auf Erden* keine »Sühne« anzubieten außer dem Appell an die praktische Vernunft, zu verhindern, daß sich diese Greuel wiederholen.

Das macht auch den wesentlichen Unterschied zum modernen »Theater der Grausamkeit« aus, wie es mehr theoretisch als praktisch von Antonin Artaud kreiert wurde, in jüngster Zeit von Peter Brook und dem »Living Theatre« realisiert wird.

Im Grunde ging es Artaud um eine neue zeitgenössische Form der Katharsis, eine Reinigung von den bewußten und unbewußten Verkehrungen der modernen Gesellschaft. Deshalb seine Auffassung:

»Wenn das Theater wieder eine Notwendigkeit werden soll, muß es uns all das geben, was Verbrechen, Liebe, Krieg und Wahnsinn enthalten [. . .].« Aber das Theater sollte nicht ein »Ort der Bewußtwerdung«, sondern ein »Ort der Spontaneität« sein, wo schockierende Affekte ausgelöst werden. Das

Theater sollte abstoßend wirken wie die Pest: »Wenn das Theater wie die Pest ist, so nicht, weil es ansteckend ist, sondern weil es, wie die Pest, eine Enthüllung, ein Vorstoß, die Eruption eines Grundes von verborgener Grausamkeit ist, durch die sich in einem Individuum oder in einem Volke alle möglichen Perversionen des Geistes festsetzen.«

Zur »Eruption« hielt er eine »Poesie im Raum« für nötig, um »materielle Bilder zu schaffen, die denen der Worte gleichwertig« sein sollen, »Hieroglyphen in drei Dimensionen«.

Um den entsprechenden Schock zu erzielen, strebte er Kombinationen von gegensätzlichen Dingen und Begriffen zu einer surrealen Orgie an, die sich bühnenmäßig kaum verwirklichen ließen. Aber Auschwitz »vernichtete« auch seine krankhaften Phantasien, indem es sie »versachlichte«. Was ist schon Artauds Regieanweisung zu dem surrealistischen Sketch *Le Jet de Sang:* »In diesem Augenblick kommen Unmengen von Skorpionen unter dem Rock der Amme hervor, wimmeln in ihrem Geschlechtsteil, welches anschwillt und zerbirst, glasig wird und das Licht wie eine Sonne reflektiert« mehr als unwirkliche Phantasie gegen die Wirklichkeit der medizinischen Versuche an Frauen zur »besten« Methode der Sterilisierung und künstlichen Befruchtung, wie sie »Professor« Clauberg und andere Mörder im Arztkittel in Auschwitz vornahmen? Gegenüber der »sachlichen« Schilderung, die die Zeugin 4 in der *Ermittlung* gibt, ist Artauds »Theater der Grausamkeit« nichts weiter als »Theater«. Um diese Realität zu bezeugen, gibt es in Wahrheit nur noch das dokumentarische Foto; für ihre Gestaltung gibt es nur noch den Bericht. Das »Theater der Grausamkeit« wurde von der Wirklichkeit überspielt. Das wirkliche »Theater der Grausamkeit« kann nur noch episch »aufgehoben« werden.

Das Besondere der Aufhebung in der »Ermittlung« besteht darin, daß es Überlebende dieser Versuche sind, die darüber berichten, so daß sich die »äußerste« Sachlichkeit der Schilderung »äußerster« Unmenschlichkeit mit dem »äußersten« Maß menschlicher, nämlich subjektiver Betroffenheit verbindet.

Wenn Artaud in seinem »Theater der Grausamkeit« die Perversionen der Wirklichkeit auf surreale Weise anschaulich machen wollte, so unternehmen die Inspiratoren und Regisseure des »Living Theatre«, Julian Beck und Judith Malina, im Geiste Artauds den Versuch, die surreale Wirklichkeit zur Anschauung zu bringen. Dabei »theatralisieren« sie auch das bislang Unvorstellbare, alle Höllenvisionen der Vergangenheit Übertreffende, nämlich den »Tod in der Gaskammer«. Sie gehen dabei von der Überlegung aus, daß Auschwitz unmittelbar nicht nachgestaltbar ist, sondern nacherlebbar gemacht werden muß. Als Medium dienen der Truppe des »Living Theatre« nach dem Vorbild Artauds Gebärde und Sprache. Mit der Methode der Autosuggestion, wie sie Stanislawski für die Schauspieltechnik nutzbar machte, versetzen sich die Spieler in »bewußte Trance« und setzen die dokumentarisch beschriebenen Phasen der Wirkung der Vergasung auf Physis und Psyche in ekstatische Bewegungen um. Die darstellerische Aktion schlägt in Hysterie um, die sich auf das Publikum zu übertragen pflegt. Der klassische Totentanz erfährt hier einen neuen Ausdruck. Äußerste Stilisierung und äußerster Naturalismus gehen eine Symbiose ein. Wenn diese Darstellung des äußersten Grauens imstande ist, Furcht und Schrecken zu verbreiten und äußerste Affekte bei den Zuschauern auszulösen, so besteht ihre Schwäche darin, daß sie keinerlei Einsicht in die Ursachen vermittelt. Die bewußte Erregung wird nicht zum erregenden Bewußtsein vorangetrieben, daß es sich bei den abgebildeten Vorgängen zwar um ein Verhängnis handelt, aber um ein von Menschen über Menschen verhängtes, beruhend auf, hervorgehend aus einer bestimmten veränderbaren Art des Zusammenlebens.

Auch Weiss gibt den Vorgang der physischen Vernichtung in den Gaskammern und in den Krematorien von Auschwitz einschließlich der Leichenfledderung mit äußerster Genauigkeit wieder, auch er vermittelt den objektiven Schrecken, zugleich aber vermittelt er erkenntnismäßige Zusammenhänge, er hebt die *An*sicht in der *Ein*sicht auf. In der *Ermittlung* wird, um auf die angeführte Befürchtung des »Schreibers im Dienst« zurückzukommen, das Gewissen durchaus richtig aufgerührt, darüber hinaus aber das Wissen angerührt. Das Aussprechen der grausamen Wirklichkeit wird aufgehoben im Aussprechen der Wahrheit über die Ursachen und die Fortwirkungen bis in unsere Tage. *Die Ermittlung* ist intentionell gegen die irrationalistische Verschleierung des Schreckens gerichtet, wie sie für das alte und neue »Theater der Grausamkeit« kennzeichnend ist. Wenn sie »grausam« ist, dann deshalb, weil sie dem Unvorstellbaren, Unbegreiflichen, Unfaßbaren fortwährend den »rationalen Stachel« einsetzt, der Auschwitz als Produkt eines bestimmten Gesellschaftssystems, eben des kapitalistischen, erkennbar macht.

Das absurde Theater beansprucht, die von den Menschen gemeinhin bestenfalls empfundene, nicht aber zum Bewußtsein gekommene Widersprüchlichkeit der Wirklichkeit, die sich zum Paradoxen und Absurden steigert, transparent zu machen; die existentialistische Variante ist bemüht, Widersinnigkeit und Unsinnigkeit von Leben und Tod zu verdeutlichen. In doppeltem Sinne wird die Unmöglichkeit des Menschseins an- und ausgedeutet: Einmal in der Aussage, daß die Menschen »unmöglich« zueinander sind, zum anderen in der Aussage, daß sie keine Möglichkeit, zueinander zu kommen, finden, aber trotzdem auf untrennbare Weise miteinander verbunden sind. Mittel zur Veranschaulichung der Wider- und Unsinnigkeit sind häufig Verzerrung bis zum Grotesken, Reduzierungen des Typischen auf das Mechanisch-Marionettenhafte, Parabolisierungen und Hyperbolisierungen.

Die von den Absurden empfundenen Paradoxa und Absurditäten der Wirklichkeit wurden durch Auschwitz neudimensioniert, sie realisierten sich in der *Hölle auf Erden* auf unheimliche Weise. »Einwaggoniertes Menschenmaterial«. Aufschriften: »Es gibt einen Weg zur Freiheit: Gehorsam, Fleiß [. . ,]« über dem Vernichtungslager, das einen einzigen Ausweg kennen sollte: »Abgang durch den Kamin«. Plakate mit der Warnung: »Eine Laus – dein Tod«, im Lager der »Töter vom Dienst«. Die Mörder als liebende Gatten und Familienväter. Ärzte, dem Leben verpflichtet, als tötende Experimentatoren. Apotheker als Giftmischer. Zahnärzte als Goldräuber. »Lebendfrisches Material« aus den Leichen der Exekutierten. Kondolenzbriefe der Mordbuben an die Hinterbliebenen der Opfer. Kinder, die den SS-Schindern ihre Ärmchen zeigen, um zu beweisen, daß sie schwere Arbeit verrichten können. Blühende Obstbäume und gepflegte Blumenbeete auf dem Weg zu den Gaskammern. Die Möglichkeit, zu überleben, die Möglichkeit, Widerstand zu leisten, nur durch direkte oder indirekte Zusammenarbeit mit den

Mördern. Der Weihnachtsbaum neben dem Galgen. Gesang in der Hölle. Die »Volkswohlfahrt« als Nutznießer der Kleider der Vergasten. Die Registratur des Massenmords als »Standesamt«. Pflege und Genesung von »Todeskandidaten«, um sie, wiederhergestellt, zu exekutieren oder zu vergasen. Und in der *Nachhölle*: Genickschußspezialisten als Lehrer der Jugend. »Sei schön durch Capesius« als Kosmetikwerbung. Der Schlächter Kaduk als Krankenpfleger. Die Mörder als Patrioten und »echte Antikommunisten« ... Wahrhaftig, das Paradoxe wurde zur Absurdität der Wirklichkeit. Was die »Väter der Absurden« auf burlesk-groteske Weise ausgedrückt hatten, wurde blutigste Wirklichkeit. Das »Hier sticht man maschinell« aus dem *Ubu Roi* von Alfred Jarry liest sich nach den »Abspritzungen« eines Klehr (der »runde Zahlen« liebte) anders als vor der Jahrhundertwende. Die Allegorie *Die Revolution der Tiere* (die die Ausrottung der Menschen und die Wiederherstellung des Animalischen beschließen, dabei aber die technisch-zivilisatorischen Fortschritte erhalten sehen wollen) in Ivan Golls *Methusalem* wurde aus einem »Traum« in Auschwitz bestialische Wirklichkeit. Wenn später Arthur Adamov in einem absurden Stück konstatierte: »Was man auch macht, man wird vernichtet«, so traf er damit das System von Auschwitz. Arrabals Charakterisierung der Opfer im *Labyrinth,* daß auch sie böse sind oder werden, stellt nur eine verkürzte Aussage über die systematische Verunmenschlichung aller von diesem System Betroffenen dar. Und wenn Arrabal in *Guernica* die beiden Liebenden über ihre Liebe reden und reden läßt, bis die Wände über ihnen zusammenbrechen, um auszudrücken, daß die Opfer gar nicht begriffen, wie und was ihnen geschah, so konnte das in noch stärkerem Maße als inszenatorische Paraphrase auf das betrachtet werden, was in Auschwitz Hunderttausenden, Millionen geschah.

Nur eben: Die Metapher ist nicht die Wirklichkeit, und diese Wirklichkeit hat alle Metaphern »realisiert«, damit im Prinzip aufgehoben und entwertet. Das Kind, das von einem Häftling unter einem Berg von Leichen entdeckt wird und das sagt, es könne nur dort, nicht unter den Menschen leben, übertrifft alle »erfundenen« Veranschaulichungen für die Paradoxie und Absurdität dieser Wirklichkeit. Und eben diese

Wirklichkeit hat auch das Verfahren, durch schockierende Figuren Anomalien der verschiedenen Gesellschaftsschichten und -klassen deutlich zu machen, radikal in Frage gestellt. Die »Ubuisierung« ist ein Verfahren, mit dem dem geschichtsnotorischen Phänomen des Un-Menschen nicht mehr ernsthaft beizukommen ist. Die Heiligsprechung der Verbrecher und Asozialen, die Jean Genêt betrieben hat, stellt eine folgenlose Ästhetisierung dar. Das Problem, mit dem die Kunst fertig zu werden hat, besteht darin, daß die Un-Menschen durchaus »normale« Menschen waren und sind. Jede Überhöhung entzieht sie der Beurteilung und Verurteilung. Das Problem ist nicht, aus dem »Intellektuellen« Stark einen Teufel zu machen, sondern zu zeigen, daß Stark sich für Goethe und dessen Humanität begeistern und zur selben Zeit Frauen und Kinder »liquidieren« kann. Die absurde Logik dieser »Töter vom Dienst« kann zwar ins Bild gebracht werden, aber dem Verständnis erschließt sie sich nur, wenn sie analytisch durchdrungen wird. Dazu ist Beschreibung und Konklusion nötig, die wiederum nicht getroffen werden kann, ohne daß das Subjektive in Bezug gesetzt wird zu den bestimmenden gesellschaftlichen Faktoren. Wenn die Absurdität, die die Absurden spüren und spürbar machen wollen, durch die Wirklichkeit von Auschwitz wahrhaftig zum Aberwitz wurde, dann gibt es keine künstlerische Hyperbolisierung mehr, die diese Wirklichkeit übertreffen und anschaulich machen könnte. Es bleiben zur Bewußtmachung dieser Absurdität nur der dokumentarische Bericht und das Zeigen von Haltungen, die direkt aus dem Erlebnis der Hölle resultieren. Wenn Weiss die Mutter eines dieser »normalen« Teufel von Auschwitz ihren Unglauben an die massenhafte Vernichtung von Menschen damit begründen läßt: »Menschen brennen doch nicht, weil Fleisch nicht brennen kann«, so wird in dieser völlig »konventionellen«, gängigen Logik der unheimliche Verfall des Menschlichen ungleich stärker spürbar und erkennbar als in wort- und bilderreichen »Aufblähungen« symbolischer Figuren. Tatsächlich ist eine »Verfremdung«, die nicht diese »Normalität« zum Bewußtsein kommen läßt, folgenlos und unverbindlich. Dieser Normalität des Unmenschlichen kann immer weniger durch Verzerrung, durch Transponierung und Verwandlung beigekommen werden, sondern nur noch dadurch, daß sie »als sie selber und nichts weiter« dargestellt und begriffen wird. Darum ist das Verfahren von Weiss, der unübertroffenen objektiven Absurdität von Auschwitz durch Beschreibung, der Paradoxie der bestehenden bürgerlichen Gesellschaft in Westdeutschland durch die bloße Vorführung von Haltungen und die Wiedergabe von authentischen Äußerungen beizukommen, ungleich produktiver und erhellender als die meisten Umschreibungen und Transpositionen.

Auschwitz hat auch das ewige Gerede der existentialistischen Richtung des absurden Theaters über Sinnwidrigkeit des Lebens und Sinnlosigkeit des Todes ad absurdum geführt. »Wirklich« wurde diese Sinnlosigkeit des Todes erst durch Auschwitz, die nichtbegriffene Auslöschung von Millionen Menschen, »wirklich« deshalb, weil es sich im Gegensatz zum normalen, kreatürlichen Tod um einen vermeidbaren Tod gehandelt hat. Und wirklich sinnwidrig ist dieses unser Leben, wenn wir diese Sinnlosigkeit nicht begreifen und dem Massentod in neuer, noch totalerer Gestalt ebenso gelähmt entgegensehen, wie es Millionen Menschen in Auschwitz nichtsahnend, und wenn ahnend, so jedenfalls zu spät zum Handeln, getan haben. Die absurd-existentialistischen Meditationen über die Unvermeidlichkeit des Todes wirken destruktiv angesichts des Todes in der Form der Atombombe, der auf der gleichen gesellschaftlichen Basis wie der Tod von Auschwitz Gestalt angenommen hat. Diese »Logik« artikuliert zu haben, ist eines der Verdienste der *Ermittlung*. Gerade mit seiner Bestimmung, der Tod von Millionen Menschen in Auschwitz sei sinnlos gewesen, negiert Weiss die »Wollust zum Tode«, hebt er die Absurdität dieses Todes von Auschwitz in doppeltem Sinne auf: er bewahrt die Schrecklichkeit und das Umfassende dieses Todes im Gedächtnis, wie er andererseits und gleichzeitig dem Faschismus als dem »Nährboden des Todes« tödliche Feindschaft ansagt. Hierin, in der Bemühung, über die bloße emotionale Betroffenheit, die Erregung, zur Aktivierung eines den Massentod bannenden Bewußtseins und Handelns fortzuschreiten, liegt die Bedeutung der *Ermittlung*.

Um mit der *Nachhölle* fertig zu werden und der Schaffung eines *Paradieses auf Erden* wenigstens so weit vorzuarbeiten, daß die Menschheit sich nicht selbst ausrottet, sondern am Leben bleibt, ist die »Besichtigung der Hölle« nötig. Eine Ablehnung, Auschwitz zum Gegenstand der Kunst zu machen, läuft nur darauf hinaus, sich zu weigern, unsere Epoche zu begreifen und auf eines der möglichen Mittel zu verzichten, die Menschen zum Bewußtsein des Ausmaßes ihrer bisherigen »Verdammungen« und der ihr drohenden »Verdammnis« kommen zu lassen. Entscheidend ist jedoch, daß die Höllenfahrt nicht in der bloßen Verurteilung stehenbleibt, sondern zu Urteil und Handeln befähigt. Eben in dieser Vermittlung liegt das Bleibende der *Ermittlung*. Daß damit auch das Theater aufhört, im alten Sinne »Theater« zu sein, ist eine Konsequenz, die sich aus der Beschaffenheit der objektiven geschichtlichen Tragödie ergibt, die es im Gedächtnis der Menschen aufzubewahren trachtet.

*1965*

# Peter Weiss
## im Suhrkamp Verlag und im Insel Verlag

Werke in sechs Bänden. Einmalige Jubiläumsausgabe. Herausgegeben vom Suhrkamp Verlag in Zusammenarbeit mit Gunilla Palmstierna-Weiss. Kartoniert

*Einzelausgaben*

Abschied von den Eltern. Erzählung. Mit 8 Collagen von Peter Weiss. BS 700 und es 85

Die Ästhetik des Widerstands. Roman. Erster Band. Leinen

Die Ästhetik des Widerstands. Roman. Zweiter Band. Leinen und kartoniert

Die Ästhetik des Widerstands. Roman. Dritter Band. Leinen

Die Ästhetik des Widerstands. Roman. es 1501

Avantgarde-Film. Aus dem Schwedischen von Beat Mazenauer. es 1444

Das Duell. Aus dem Schwedischen von J. C. Görsch in Zusammenarbeit mit dem Autor. Mit 10 Federzeichnungen von Peter Weiss. st 41

Die Ermittlung. Oratorium in 11 Gesängen. es 616

Der Fremde. Erzählung. es 1007

Fluchtpunkt. Roman. Mit vier Collagen von Peter Weiss. BS 797 und es 125

Das Gespräch der drei Gehenden. es 7

Notizbücher 1960-1971. 2 Bde. es 1135

Notizbücher 1971-1980. es 1067

Rapporte. es 276

Rapporte 2. es 444

Rekonvaleszenz. Tausenddruck. Leinen im Schuber

Rekonvaleszenz. es 1710

Der Schatten des Körpers des Kutschers. Tausenddruck, BS 585 und es 53

Stücke I. Der Turm. Die Versicherung. Nacht mit Gästen. Mockinpott. Marat/Sade. Die Ermittlung. es 833

Stücke II. 2 Bde. Gesang vom Lusitanischen Popanz. Viet Nam Diskurs. Hölderlin. Trotzki im Exil. Der Prozeß. es 910

Die Verfolgung und Ermordung Jean Paul Marats, dargestellt durch die Schauspielgruppe des Hospizes zu Charenton unter Anleitung des Herrn de Sade. Drama in zwei Akten. es 68

*Zu Peter Weiss*

Peter Weiss im Gespräch. Herausgegeben von Rainer Gerlach und Matthias Richter. es 1303

Peter Weiss. Herausgegeben von Rainer Gerlach. stm. st 2036

41/1/2.94

# Peter Weiss
## im Suhrkamp Verlag und im Insel Verlag

41/2/2.94

# Deutschsprachige Literatur
## in der edition suhrkamp:
## Drama

Deutschsprachige Literatur
in der edition suhrkamp:
Drama

301/3/3.95